C000303250

CONCRETE
BETON
BÉTON

BETON | BÉTON

CONCRETE

JOACHIM FISCHER

h.f.ullmann

Contents | Inhaltsverzeichnis | Sommaire

Introduction

Ambitious architects have used concrete as building material since Antiquity. Malleable, durable and stable—this 'liquid stone' has proven to be the ideal design medium. No other material is as diverse or multifaceted. Almost every week, news of a spectacular new building built from concrete is announced. Yet, reports of the manifold possibilities of this building material do not limit themselves to buildings. In the past years, manufacturers have increasingly promoted the development of new methods and products, which, in turn, have been used by architects, designers, civil engineers and artists. Concrete is currently used for a variety of highly sophisticated objects and buildings; indeed, many surfaces, structures and constructions now exist, despite having been previously deemed impossible build. This publication offers insight into the most important current developments in concrete architecture and the interaction of construction and architectural expression. Select examples demonstrate the unique potential of concrete, highlighting the most cutting-edge design trends as well as works of béton brut architecture. The examples, sorted according to architects and designers, present multiple perspectives. In this way, the malleable potential of this essentially shapeless material, the variety of architectural possibilities, and the influence of the digital world on the development and production of concrete are exhibited. Specifically significant are those aspects that are of decisive importance to perception, such as the very last inches that show the visual and haptic appearance of concrete. Everyone has a different image of concrete; everyone defines it differently. What remains are a variety of projects, which in their own way can be more or less spectacular. Concrete is a natural material with equally monumental and subtle variances. It is now up to our readers to discover the diverse possibilities of concrete!

Beton ist seit der Römerzeit das Baumaterial für ambitionierte Architekten. Frei formbar, haltbar und stabil erweist sich der „flüssige Stein" als ideales Gestaltungsmittel. Kaum ein anderes Material ist so facettenreich und vielfältig. Es vergeht keine Woche, in welcher nicht der Bau eines neuen, spektakulären Bauwerkes aus Beton veröffentlicht wird. Doch die Berichterstattungen über die Möglichkeiten des Baustoffs machen nicht am Rande der Baugrube halt. Seitens der Hersteller ist in den letzten Jahren verstärkt die Entwicklung neuer Produkte und Verfahren vorangetrieben worden, die Architekten, Designer, Bauingenieure und Künstler in ihren Arbeiten genutzt haben. Mittlerweile gibt es eine ganze Reihe von gelungenen Bauwerken und Objekten aus diesem Werkstoff. In der Tat sind heute Gebäudekonstruktionen, Oberflächen und Strukturen möglich, die lange Zeit als nicht realisierbar galten. Die Publikation bietet Einblick in wichtige aktuelle Entwicklungen der Beton-Architektur und in die Interaktion von Konstruktion und architektonischem Ausdruck. Anhand von ausgesuchten Beispielen wird das spezifische Potenzial des Werkstoffs Beton aufgespürt, wobei neben neuesten Designtendenzen Werke des „béton brut" der Betonarchitektur einen Schwerpunkt bilden. Die Beispiele sind nach Architekten und Designern sortiert und aus unterschiedlichen Blickwinkeln dargestellt. So wird das plastische Potenzial des an sich formlosen Materials aufgezeigt, es werden die architektonischen Möglichkeiten erörtert und dargestellt wie sich die digitale Welt auf die Entwicklung und Produktion auswirkt. Prägend sind jene Aspekte, die für das wahrnehmende Auge von unmittelbarer Bedeutung sind: die letzten Zentimeter, welche die visuelle und haptische Erscheinung von Beton prägen. Jeder hat ein anderes Bild von Beton vor Augen, jeder definiert Beton anders. Was bleibt sind auf ihre Art unterschiedliche Projekte, mal mehr und mal weniger spektakulär. Beton ist ein natürliches Material mit Varianzen, monumental und fein zugleich. Nun ist es an den Lesern, die vielfältigen Möglichkeiten von Beton zu entdecken.

Le béton est depuis la Rome antique le matériau des architectes ambitieux. Malléabilité, solidité et stabilité font de cette « pierre liquide » l'outil idéal de l'architecture. Ce matériau est dans ses emplois d'une diversité qui demeure presque sans égale et possède de nombreuses facettes : pas une semaine sans que l'on inaugure une construction spectaculaire en béton. Toutefois, la presse spécialisée met aussi l'accent sur le potentiel du matériau, lequel dépasse le simple cadre du chantier de construction. Du côté des fabricants, la tendance est depuis quelques années à l'élaboration de nouveaux produits et procédés que l'on retrouve dans les réalisations des architectes, designers, ingénieurs des travaux publics et artistes. Il existe de nos jours toute une série de constructions et d'objets dont l'exécution à partir de ce matériau est une véritable réussite. En effet, nombreuses sont les constructions, surfaces et structures dont la réalisation, considérée autrefois comme chimérique, est désormais possible. Cet ouvrage présente les évolutions actuelles de « l'architecture du béton » et les interactions entre construction et expression architecturale. À partir d'exemples choisis avec soin, il se penche sur les spécificités du béton et sur son potentiel en s'attachant tout particulièrement à la présentation d'œuvres de béton brut et aux tendances actuelles du design. Les réalisations sont classées par architectes et designers et commentées en prenant en compte plusieurs angles d'approches. Les possibilités plastiques et architectoniques de ce matériau sans forme propre font l'objet d'une attention toute particulière, tout comme les effets de l'ère numérique sur la conception et la production. L'accent est mis sur ces aspects qui dans le cadre de la perception sensorielle sont d'une importance capitale : les derniers centimètres qui déterminent notre impression visuelle du béton. Chacun a sa propre image du béton, lui donne une signification singulière. Ce qui demeure, c'est une diversité de projets, plus ou moins spectaculaires. Le béton est un matériau naturel et flexible, à la fois imposant et subtil. Nous proposons au lecteur de partir à la découverte de ses multiples facettes.

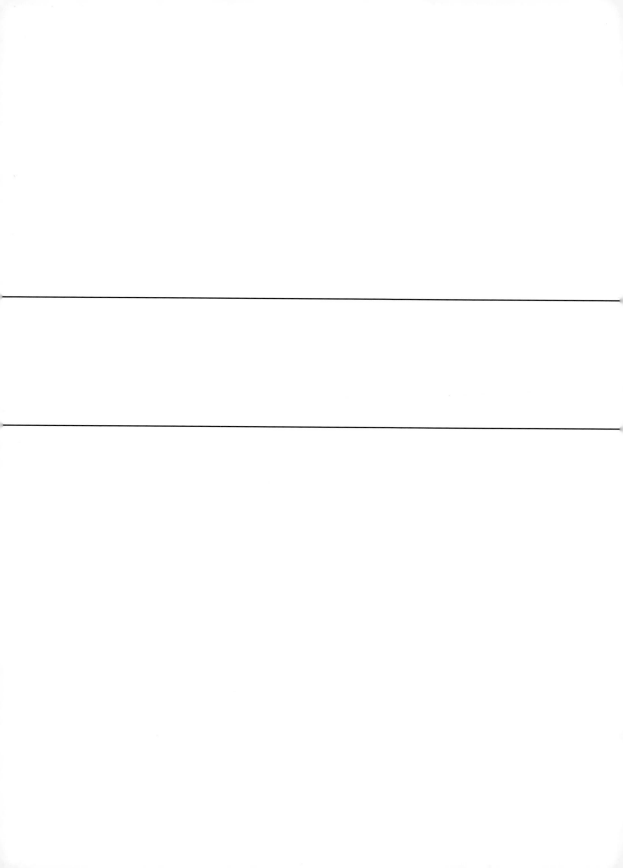

Kreationen | Créations

Creations

Airspeed Skateparks

Skate Parks

Skaters and skating activity in cities clearly testify to how urban spaces can be used regardless of urban planning. As seen here, benches, stairways or steps can take on new functions. Numerous landscape architects have increasingly begun to focus on creating spatial alternatives, which are also acceptable to the skating scene. Neutral spatial design permits every kind of conceivable use on concrete surfaces. The quality of these facilities is not only attractive to the skaters, but also sufficiently inviting for passing pedestrians to linger, thus providing an audience for the performers. All individual concrete elements of such 'artificial' spaces hardly differ from those found in 'authentic' urban areas. Most skate parks nowadays contain abstractly formed and interconnected walls, stairs, handrails and ramps.

Skateparks

Dass urbane Räume auch jenseits aller Planungen genutzt werden, machen die Aktivitäten von Skatern in den Städten besonders anschaulich. Hier wird vorgeführt, welche Funktion Bänke, Treppengeländer oder Stufen haben können. Mit der Schaffung wirklicher Platz-Alternativen, die von der Szene auch angenommen werden, befassen sich inzwischen zahlreiche Landschaftsarchitekten. Eine neutrale Platzgestaltung soll jede Art von Nutzung ermöglichen, die auf Betonbelag denkbar ist. Die Qualität dieser Anlagen soll nicht nur für die Sportler attraktiv sein, sondern auch Passanten zum Verweilen animieren und so den Akteuren Publikum verschaffen. Die einzelnen Beton-Elemente solcher „künstlicher" Plätze unterscheiden sich kaum von jenen, die auf „echten" Stadtplätzen zu finden sind. In den meisten Skateparks finden sich heute in abstrahierter Form verbaute, spannende Mauer-, Treppen-, Rampen- und Handlaufmotive.

Aire de skateboard

Dans nos villes, les acrobaties exécutées par les skateurs montrent à quel point l'espace urbain peut être utilisé à des fins toutes autres que celles qui prévalaient à sa conception. En s'appropriant bancs publics, rampes d'escaliers et marches, c'est une nouvelle fonction qu'ils lui attribuent. De nos jours, nombre d'architectes paysagistes s'adonnent à la création d'espaces appropriés à ce loisir, une alternative qui a été adoptée par la communauté des skateurs. Un aménagement neutre des espaces est une nécessité puisqu'ils doivent permettre la pratique d'activités multiples. Ces aires ne s'adressent pas uniquement aux sportifs mais également aux passants, les invitant à s'attarder sur le spectacle qui s'y déroule. Les éléments en béton de ces pistes « artificielles » se différencient à peine de ceux qui peuplent les « vrais » espaces urbains. Dans la plupart des aires de skateboard, on retrouve sous une forme simplifiée des constructions qui évoquent les parapets, les escaliers et les rampes d'accès de nos cités.

Ruben Anderegg Architekten

Meiringen House

Severe clear lines characterize this one-family house—which at first sight seems to be a concrete cube with a flat roof, and, respectively, a lowered hipped roof. It becomes evident that this concrete construction has absolutely nothing in common with the traditional wooden building culture of the Swiss Bernese Oberland. In fact, it is more reminiscent of the craggy rock walls of the surrounding mountain landscape. Facing the street, a medium-high concrete wall protects a one-story building extension, comprising two children's rooms. In addition, the concrete wall frames a gravel-covered courtyard, typical of Japanese architecture. The western concrete façade of the garage continues on as a low garden wall. Far from simply being a monotonous concrete cube, lost on the green lawn, the Meiringen House proves itself to be a charismatic building unit, which creates and uses space judiciously.

Haus Meiringen

Das Einfamilienhaus präsentiert sich als Betonkubus mit klaren, streng geschnittenen Linien sowie mit einem Flachdach, respektive mit einem versenkten Walmdach. Damit wird klar, das Betonhaus hat gar nichts mit der traditionellen Holzbau-Kultur des Berner Oberlandes gemeinsam. Allenfalls korrespondiert der Beton mit den schroffen Felswänden der Berglandschaft. Straßenseitig schirmt eine halbhohe Betonmauer einen eingeschossigen Anbau ab, der die beiden Kinderzimmer beherbergt. Zugleich bildet die Betonmauer einen bekiesten Innenhof, wie man ihn von der japanischen Architektur her kennt. Die westliche Betonfassade der Garage findet ihre Fortsetzung als flache Gartenmauer. Das Haus ist kein eintöniger Betonkubus, der auf der grünen Wiese verloren gegangen zu sein scheint, sondern ein raumbildendes und raumgreifendes Bauensemble.

Maison Meiringen

Cette maison individuelle se présente sous la forme d'un cube de béton aux lignes nettes et rigoureuses muni d'un toit à croupe affaissé, c'est-à-dire d'un toit plat. Ainsi, cet édifice se démarque clairement des constructions en bois typiques du haut pays bernois même si le béton n'est pas sans rappeler les parois rocheuses et abruptes du paysage montagnard environnant. Donnant sur la rue, un mur construit à mi-hauteur compose une structure à un étage au sein de laquelle sont aménagées les deux chambres d'enfants. Cette paroi abrite également un patio parsemé de graviers qui évoque l'architecture japonaise. La façade ouest du garage se poursuit pour former le mur d'enceinte du jardin. Cette maison n'est en aucun cas un cube de béton monotone, perdu au milieu des prés, mais un ensemble harmonieux qui structure l'espace dans lequel il s'érige.

Subtle direction of light increases the building's reduced effect.

Eine subtile Lichtführung verstärkt die reduzierte Wirkung des Gebäudes.

Une utilisation subtile de la lumière accentue la légèreté de l'ensemble.

Precise corners are main characteristics of this two-shell concrete construction.

Präzise Kanten zeichnen die zweischalige Betonkonstruktion aus.

Cette construction à double peau se caractérise par des lignes précises.

Architekten Kollektiv

Rosenberg Crematorium

Built as an independent and flat-covered concrete construction, the new crematorium was erected next to the existing Hall of Remembrance. Yet, the crematorium's sleek construction belies the necessary expertise and knowledge of concrete properties and technology. Cremation in the middle of the woods is a tradition in Winterthur, one that will be continued with this new construction. A spatial skeleton of concrete elements gives a basic structure to the new building, which, in turn, is responsible for the sculptural appearance. In a finely balanced play between opening and filling, transparency and semi-transparency, full and empty spatial elements, the architects have ensured this very functional building the necessary sense of spirituality. The design is equally stunning when seen from a constructional point of view.

Krematorium am Rosenberg

Das neue Krematorium wurde als eigenständiger, flach gedeckter Betonbau neben der bestehenden Abdankungshalle errichtet. Wie viel Erfahrung und Wissen um betontechnologische Finessen in seine Realisierung eingeflossen ist, sieht man ihm nicht an. Das Kremieren mitten im Wald hat in Winterthur eine Tradition, die mit der neuen Anlage weitergeführt wird. Ein räumliches Skelett aus Betonelementen bildet die Grundstruktur der neuen Anlage. Diese Struktur gibt dem Gebäude seine skulpturale Erscheinung. Ein Spiel mit Öffnung und Füllung, vollen und leeren Raumelementen, Transparenz und Halbtransparenz vermittelt diesem funktional bestimmten Objekt die notwendige Sinnlichkeit. Auch unter gestalterisch-baulichen Aspekten begeistert der Entwurf.

Crématorium de Rosenberg

Le nouveau crématorium est une construction de béton autonome au toit plat qui s'élève aux côtés de la salle de recueillement préexistante. Le savoir-faire qui a accompagné sa réalisation et la subtile mise en œuvre du béton ne se révèlent pas à vue d'œil. La crémation au milieu de la forêt est à Winterthur une tradition qui avec l'élévation de ce nouvel édifice se perpétue. La structure de base est composée d'une charpente faite de divers éléments de béton. Cette structure donne à l'ensemble un aspect sculptural. Le jeu des ouvertures et des pleins, des transparences et des semi-transparences confère à cet édifice à la fonction bien particulière la sensibilité qui lui est due. Par son architectonique, la réalisation est également une réussite.

Letters have been punched into the massive steel plates that cover the façade of the crematorium and the courtyard borders. The German words for 'depth,' 'heaven,' 'space,' world,' 'quiet,' 'rock,' 'brave' and 'walk' are cut out of the massive steel. Klaus Merz, a German author and poet, composed a poem for this place. A play between open and full spaces conveys the necessary sense of spirituality to this otherwise very functional building.

Die Fassaden des Ofenhauses und die Hofeinfassung werden durch massive, mit Buchstaben durchbrochene Stahlplatten geprägt. Aus den Stahlplatten sind die Worte „Tiefe", „Himmel", „Weite", „Welt", „leise", „wiegen", „mutig" und „gehen" ausgeschnitten. Der Schriftsteller Klaus Merz hat das Gedicht für diesen Ort geschaffen. Ein Spiel mit Öffnung und Füllung vermittelt diesem funktional bestimmten Objekt die notwendige Sinnlichkeit.

Les façades du crématorium et la cour intérieure se caractérisent par des plaques d'acier sur lesquelles sont appliquées des lettres formant les mots allemands suivants : « Tiefe », « Himmel », « Weite », « Welt », « leise », « wiegen », « mutig » und « gehen » (profondeur, ciel, espace, monde, silencieux, bercer, courageux et partir). L'écrivain Klaus Merz a composé le poème pour ce lieu. Le jeu des ouvertures et des pleins donne à cet édifice à la fonction bien particulière la sensibilité qui lui est due.

A spatial skeleton of concrete elements gives a basic structure to the new building.

Ein räumliches Skelett aus Betonelementen bildet die Struktur der neuen Anlage.

La structure du nouvel ensemble est composée d'une charpente d'éléments de béton.

Through the large window in the antechamber of the crematorium, visitors look out onto the forest of the cemetery grounds.

Vom Vorraum der Ofenanlage blickt man durch großzügige Fenster in den Wald des Friedhofs.

Les vastes baies vitrées de l'entrée du crématorium s'ouvrent sur la forêt et son cimetière.

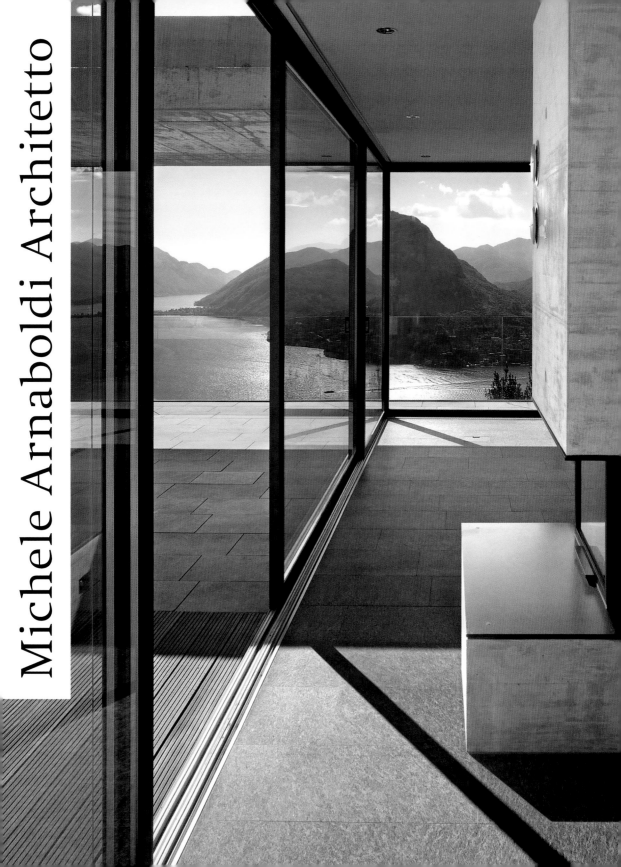

Michele Arnaboldi Architetto

Summer House

Seeming to float over the grounds, this two-family summer house is separated from the lower story by a protruding façade. Bedrooms with balconies and side rooms are on the ground floor. The first floor contains the living area and kitchen, which open out onto spacious terraces and the swimming pool. Large, concrete-framed windows face southwest, looking out onto the stunning landscape. The glass construction's vertical rungs are very slender, intensifying the concrete's supporting function. In all, the lines of this building are clear and unencumbered; nothing distracts from the concrete structure and center, which lets light stream through, giving an impression of a delicate, graceful and confident construction.

Sommerhaus

Das Ferienhaus für zwei Familien scheint über dem Terrain zu schweben und ist durch einen Vorsprung der Fassadenebene vom Tiefgeschoß abgesetzt. Die Zimmer mit Terrasse sowie ihre Nebenräume liegen im Geschoß darüber. Im ersten Obergeschoß befinden sich der Wohnraum und die Küche, die sich zu den großzügigen Terrassen mit Schwimmbad öffnen. Die großen, betongerahmten Fenster in Richtung Südwesten geben den Blick auf die außergewöhnlich schöne Landschaft frei. Die vertikalen Sprossen der Glaskonstruktion sind sehr schlank ausgebildet. Sie machen deutlich, dass der Beton die tragende Funktion übernimmt. Das Haus erscheint eindeutig und klar, der Beton bildet hier die Bastion und den Rahmen, in welchen das Licht eindringt und das Gebäude selbstbewusst, leicht und grazil wirken lässt.

Maison d'été

La maison de villégiature conçue pour deux familles semble flotter sur le sol et est séparée du sous-sol par une avancée de la façade. Les chambres avec terrasse et les pièces attenantes sont à l'étage qui se trouve directement au-dessus. L'étage supérieur abrite la salle de séjour et la cuisine qui s'ouvrent sur une terrasse aux dimensions généreuses avec piscine. Les baies vitrées orientées sud-ouest et encadrées de béton donnent sur un paysage d'une exceptionnelle beauté. Les armatures verticales du vitrage sont très minces et soulignent le fait que dans cette construction, c'est le béton qui fait office d'élément porteur. L'édifice est sans équivoque. Le béton est ici à la fois un composant qui protège et qui laisse entrer la lumière, donnant à l'ensemble assurance, grâce et légèreté.

barbaslopes arquitectos

B House

Similar to a single stone, this house was to be natural and untouched. The architects decided to use one-shelled concrete for the walls, ceilings and steps, and chose smooth screed for the floors. Visitors step into the building through a hall-like entrance on the ground floor. The plan is not immediately recognizable from this point of view; the influential diagonals affect the sense of space. Most windows are next to each other and thus look out to the surrounding lush, omnipresent nature. The plan has a similar structure to that of a pearl necklace; the rooms meander alongside each other. Honestly experienced, this design and craftsmanship appeals to the senses.

Haus B

Roh und natürlich – so sollte das Haus werden, einem einzeln liegenden Stein nachempfunden. Die Architekten entschieden sich bei diesem Privathaus für einfach geschalten Beton für die Wände, Decken und Treppen, sowie geglätteten Estrich für den Boden. Über ein hallenartiges Entree im Erdgeschoß erschließt sich für Besucher das Gebäude. Hier stehend ist der Grundriss nicht sofort zu erfassen. Die Diagonale bestimmt das Raumempfinden. Die Fenster liegen meist nebeneinander und geben somit den Blick auf die üppige, allgegenwärtige Natur frei. Ähnlich einer Perlenkette ist so der Grundriss organisiert. Die Räume sind mäandrierend aneinander gereiht. Der Entwurf und die handwerkliche Ausführung bleiben sinnlich und ehrlich erlebbar.

Maison B

Cette demeure se veut brute et naturelle, semblable à un rocher isolé. Les architectes ont opté en faveur d'un simple coffrage de béton pour les murs, les plafonds et escaliers et d'un revêtement lisse pour les sols. L'entrée est semblable à un hall et l'édifice s'ouvre au visiteur à partir de cet ensemble. L'agencement des pièces reste pourtant dans un premier temps quelque peu obscur. Les diagonales sont un élément central de la perception de l'espace. Les fenêtres sont pour la plupart placées côte à côte et donne sur une nature foisonnante, omniprésente. L'espace intérieur suit un plan qui s'apparente à un collier de perles ; les pièces se succèdent en un méandre. La conception d'ensemble et sa réalisation artisanale font de cette demeure un espace de vie très agréable.

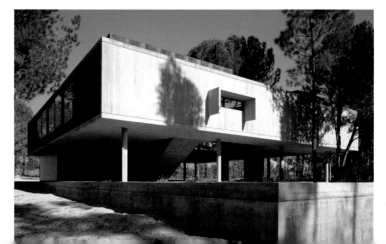

Planting typical vegetation within the eucalyptus and pinewood forest increases the prevalent natural atmosphere. Decorative plants were deliberately avoided; sand and gravel were used as a basis for paths and areas to linger. The architects intended nature to recover the terrain.

Die vorherrschende Natürlichkeit wird durch eine typische Bepflanzung innerhalb des Eukalyptus- und Pinienwaldes unterstützt. Auf Zierpflanzen wurde bewusst verzichtet. Sand und Schotter dienen als Grundlage für Wege und Verweilflächen. Die Natur soll sich das Grundstück zurück-erobern.

On a mis l'accent sur la nature en respectant la végétation typique de la forêt de pins et d'eucalyptus qui entoure la demeure. On a à cette fin renoncé à des plantes ornementales. Le sable et le gravier sont les éléments de base du jardin. La nature doit s'approprier de nouveau cet espace.

BETONIU

Furniture & accessories

Concrete is no trivial matter. Whether you refer to the bearing capacity or surface texture, the workmanship or shaping—concrete has its own rules. In addition to the manufacture and material tests that the on-site production has conducted since 2006, Betoniu has relied on expert support from the very beginning. Betoniu works with young designers, such as Julia Jodes, Torsten Klocke and Stefan Schulz, as well as with the seasoned expert Prof. Manfred Curbach from the University of Technology in Dresden, Germany, in order to optimize the stability, workmanship and surface of concrete. Beautifully shaped furniture as well as stunning accessories out of concrete are the result.

Möbel & Accessoires

Beton ist kein „triviales" Material. Ob Tragfähigkeit oder Oberflächenbeschaffenheit, ob Verarbeitung oder Formgebung – Beton hat seine eigenen Regeln. Neben den eigenen Produktions- und Materialtests, die seit 2006 in der hauseigenen Manufaktur durchgeführt werden, hat das Unternehmen deshalb von Beginn an auf sachverständige Unterstützung gesetzt. So kooperiert Betoniu einerseits mit jungen Designern wie Julia Jodes, Torsten Klocke, Stefan Schulz und anderseits mit Prof. Manfred Curbach an der TU Dresden, um Festigkeit, Verarbeitung und Oberflächen von Beton zu optimieren. So entstehen formschöne Möbel ebenso wie schmucke Accessoires aus Beton.

Meubles & accessoires

Le béton est un matériau qui est loin d'être banal. Qu'il s'agisse de sa résistance ou de ses propriétés de surface, de la manière dont on le travaille ou de son façonnage, le béton possède des règles qui lui sont propres. Parallèlement aux tests qui accompagnent le travail du matériau et la production et qui sont depuis 2006 menés au sein même de l'atelier, l'entreprise Betoniu a dès ses débuts fait appel à des experts du béton. Betoniu collabore d'un côté avec des jeunes designers tels Julia Jodes, Torsten Klocke, Stefan Schulz et de l'autre avec le professeur Manfred Curbach de l'université technique de Dresde. Cette coopération vise à améliorer la résistance et le travail du béton ainsi que sa surface. Ce sont des meubles aux formes harmonieuses et des accessoires décoratifs qui voient ainsi le jour.

"Breakfast in Bed"—Julia Jodes' organic design and the pure light- and dark gray material contrast noticeably with conventional tableware.

„Frühstück im Bett" – das organische Design von Julia Jodes und das pure, hell- und dunkelgraue Material kontrastieren auffällig mit dem üblichen Geschirr-Einerlei.

« Petit déjeuner au lit ». Le design organique de Julia Todes et le matériau pur d'un gris clair à sombre ne s'apparentent pas à la vaisselle habituelle.

"Raw construction"—the concrete birdcage designed by Torsten Klocke places stream-lined design in the garden and on the house wall.

„Rohbau" – der Vogelkasten aus Beton von Torsten Klocke bringt ein geradliniges Design in den Garten und an die Hauswand.

« Construction brute ». L'abri pour oiseaux en béton de Torsten Klocke apporte au jardin et au mur de la maison une touche de design rectiligne.

K. House

Built in 1908, this old stonewalled stable was to be converted into a residential house. The building regulations required all existing heights, widths and distances to remain the same. The architects were legally bound to keep the convincing yet distinctive form of the old stable. Due to the lack of space between the neighboring houses and the street—a wine route, which faces heavy traffic—the building was given 'hard shells,' placed diagonally across from each other to permit delimitation and inner cohesion. Exposed concrete was used for the side of the 'hard shells' facing the street, whereas the interior side relied on an open lightweight construction. These two opposing elements are crucial for the new house, creating room and space that are complimentary due to their differences. Despite the disadvantages of the heavily trafficked road and limited space, a unique place of absolute freedom and spaciousness was created.

Haus K.

Ein alter gemauerter Stall aus dem Jahre 1908 sollte zu einem Wohnhaus umgebaut werden. Die Bauvorschriften forderten bestehende Höhen, Breiten und Abstände zu halten. Aber auch die überzeugende wie markante Form des alten Stalls war bindend für den Wiederaufbau. Da nicht viel Raum zwischen den Nachbarhäusern besteht und die Weinstrasse sehr stark befahren ist, ergaben sich für das Gebäude planerisch „harte Schalen", welche sich schräg gegenüber stehen und dadurch Zusammenhalt und Abgrenzung geben. Die „harten Schalen" wurden nach außen in Sichtbeton ausgeführt, nach innen dann im offenen Leichtbau – diese beiden, zueinander konträren Elemente bilden das neue Wohnhaus. Sie schaffen Platz und Raum, die sich in ihrer Unterschiedlichkeit perfekt ergänzen. Einerseits die Nachteile der befahrenen Straße und der Enge, anderseits ein einzigartiger Platz samt absoluter Freiheit und Großzügigkeit.

Maison K.

Un ouvrage de maçonnerie, une vieille étable datant de 1908, devait être transformée en maison d'habitation. Pour obtenir le permis de construire, il fallait conserver la hauteur, la largeur de l'ouvrage initial et les espaces le séparant des édifices voisins. La forme inhabituelle et imposante de l'ancienne étable était également un élément clé de la reconstruction. En raison de la proximité des habitations voisines et d'une rue (route du vin) très passante, on a conçu deux blocs posés à l'oblique afin de donner unité et démarcation à l'ensemble. Les murs exposés sont en béton apparent tandis que les parois donnant sur la cour se caractérisent par des structures ouvertes et légères. Cette antinomie est au cœur de l'architecture de la nouvelle maison. Elle crée un espace à vivre au sein duquel les éléments contraires cohabitent parfaitement, et défiant les inconvénients d'une rue très passante et d'un vis-à-vis très proche, offre un endroit unique aux dimensions généreuses et indépendant.

Pietro Boschetti Architetto

Mafferetti House

This exceptional privately owned residential house was designed facing west and looking out towards Arosio, Switzerland. Wedged in between traditionally constructed buildings typical for Ticino, this concrete building radiates sheer monolithic power. In order to allow architecture to evolve and not remain frozen in bourgeois traditions, the community changed the building regulations. The multi-storied building was constructed out of mono-layered, massive, heat-insulated concrete. Decisive points, such as the courtyard, the garage and loggia determined the order of the rooms and thus, almost inevitably, the outer appearance of the house: a series of closed concrete walls and abundant glass encasing. The dominant curve leads down to the garage and cellar.

Haus Mafferetti

Dieses außergewöhnliche Privathaus wurde mit Ausrichtung gen Westen und mit Blick auf Arosio entworfen. Auf einem Grundstück, eingezwängt zwischen traditionellen Gebäuden im Tessiner Baustil, entfaltet das Betongebäude seine ganze monolithische Kraft. Um eine Weiterentwicklung in der Architektur zu ermöglichen und nicht in bürgerlichen Traditionen zu erstarren, änderte die Gemeinde ihre Bauvorschriften. Das mehrstöckige Gebäude wurde aus einlagigem, massivem und wärmegedämmtem Beton errichtet. Einschnitte in Form von Hof, Garage und Loggia bestimmen die Raumfolge und somit fast zwangsläufig die äußere Erscheinung des Hauses: eine Abfolge von geschlossenen Betonwänden und großzügiger Verglasung. Der dominanten Rundung folgend, wird man zum Untergeschoss mit Garage und Kellerräumen geführt.

Maison Mafferetti

Cette maison unique en son genre a été orientée vers l'ouest avec vue sur Arosio. L'édifice de béton déploie toute sa force monolithique sur un espace délimité de toutes parts par des maisons dans le style caractéristique de la région du Tessin. La commune a en effet changé sa réglementation en matière de construction afin de favoriser un renouveau architectural. Le bâtiment à plusieurs étages est construit en béton massif et isolant. Les ouvertures que forment la cour, le garage et la terrasse déterminent l'agencement des pièces et ainsi l'apparence extérieure de la maison : une succession de parois de béton et de grandes baies vitrées. L'espace circulaire mène au sous-sol qui abrite le garage et la cave.

Abundant glass surfaces yield an unobstructed view of the historic landscape. Traditional boundaries of inside and outside merge.

Großzügige Glasflächen erlauben einen ungestörten Blick über die historische Dachlandschaft. Innen und Außen gehen ineinander über.

Les grandes baies vitrées donnent sur un paysage pittoresque, celui des toitures traditionnelles de la région. Espaces intérieurs et extérieurs se rejoignent.

Even at night, the open character of the design is evident. Nonetheless, a conscious retreat to the interior of the house is possible.

Auch bei Nacht bleibt der offene Charakter des Entwurfes erhalten. Gleichzeitig bietet er eine bewusste Rückzugsmöglichkeit ins Hausinnere.

La maison ouverte sur l'extérieur conserve son caractère la nuit, bien qu'elle possède aussi des aires de repli à l'intérieur.

Concrete family

For several years now, fiber-reinforced concrete has been used in architecture because of its durability and the comparatively small amount of material needed. In order to make these properties even more evident, the designer Simon Busse has created a series of contemporary outdoor furniture. The versatile series comprises three pieces: a chair that can be used in both public and private areas thanks to its delicate, elegant form, a side table that can be used in two different positions and the planter, which holds traditional flower pots or boxes, as well as functioning as a possible boundary for café and restaurant terraces.

Betonfamilie

Faserverstärkter Beton wird in der Architektur wegen seiner besonderen Widerstandsfähigkeit bei geringer Materialhöhe schon seit einigen Jahren verwendet. Um die Eigenschaften dieses Materials deutlicher hervorzuheben, entschied sich der Designer Simon Busse eine zeitgemäße Möbelserie für den Outdoor-Bereich zu entwickeln. Entstanden sind drei Möbel: Ein Stuhl, der durch seine filigrane, elegante Form im öffentlichen sowie im privaten Raum einsetzbar ist. Ein Beistelltisch, der in zwei Positionen verwendet werden kann, und der so genannte Planter. Dieser wurde konzipiert um handelsübliche Blumenkästen aufzunehmen, einzeln als Blumenkübel oder in Reihung als mögliche Abgrenzung für Außenbereiche von Cafés und Restaurants zu fungieren.

Famille de béton

Le béton renforcé de fibres est utilisé en architecture depuis quelques années en raison de ses propriétés de résistance. Afin de mettre l'accent sur les qualités de ce matériau, le designer Simon Busse a élaboré une série de meubles contemporains pour le jardin. Trois objets ont vu le jour : une chaise qui de par son élégance peut être utilisée aussi bien à l'intérieur qu'à l'extérieur ; une table basse qui possède deux positions et le bac à plantes appelé « Planter », conçu pour accueillir les bacs que l'on trouve dans le commerce et qui peut être exposé seul ou en alignement afin de délimiter par exemple les terrasses de cafés ou de restaurants.

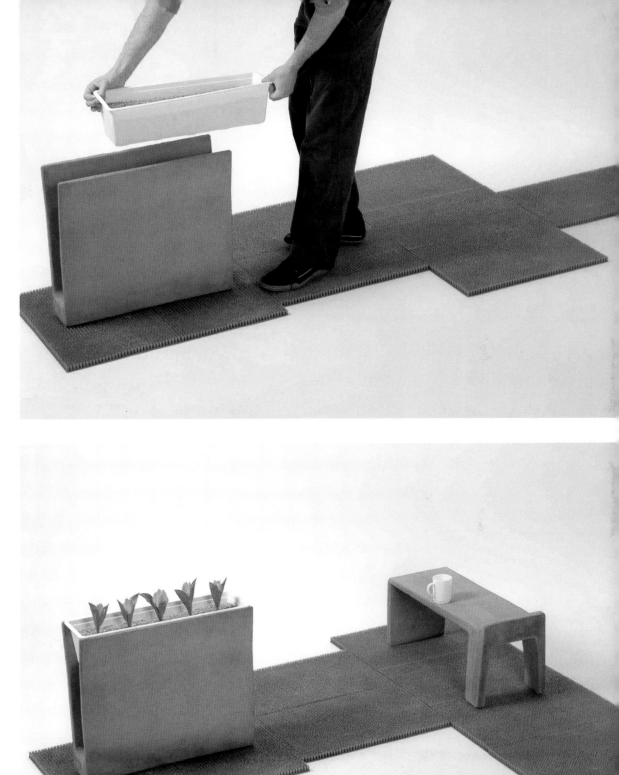

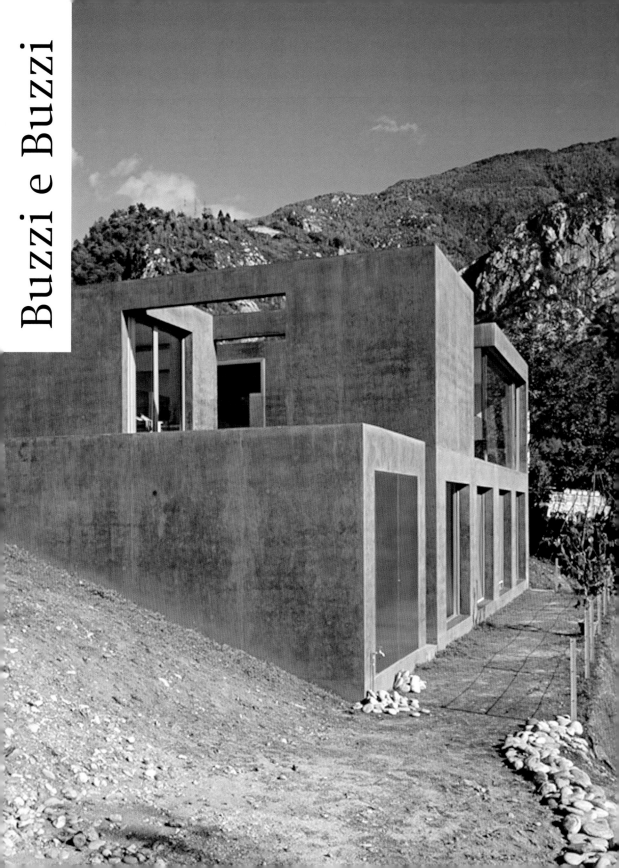

Tegna Ticino House

The narrow piece of land is characterized by a steep hillside, which, in turn, reinforces the impression of the building being an expressive extension of the landscape. Constructed out of exposed concrete, this building comprises two almost identical houses. The building is truly pushed into the plot of land, thus giving way to a new topography, wherein the existing geometry of the slope is highlighted due to simple precision. The intention thereof is expressed in the exposed concrete construction: like a monolithic shield, the oxidized-iron stained concrete shields the entire house. Seen from the outside, the house looks like a piece of carved stone. Only a skylight and an open hole in the material mark the entry. The roof is thus treated as the fifth façade; the platform serves as a parking lot. The car, a key element of suburban life, seems here to have been placed on a pedestal.

Haus Tegna Ticino

Das schlanke Grundstück ist durch eine starke Hanglage gekennzeichnet, das Gebäude wird als ein ausdrucksstarker Teil der Landschaft wahrgenommen. Dieses, in Sichtbeton gefertigte, Gebäude setzt sich aus zwei fast gleichen Häusern zusammen. Der Bau ist wortwörtlich in das Grundstück eingeschoben: es entsteht eine neue Topographie, die die vorhandene Geometrie des Hanges dank seiner einfachen Präzision unterstreicht. Diese Absicht ist in der Sichtbetonkonstruktion ausgedrückt: wie ein monolithischer Panzer umwickelt der mit Oxideisen eingefärbte Beton das ganze Haus. Von außen wirkt das Haus wie ein in einem Stück gemeißelter Steinblock. Nur ein Oberlicht und ein „Loch" in der Materie des Blockes markieren den Eingang. Das Dach ist dementsprechend als fünfte Fassade behandelt und dient mit seiner Plattform als Parkdeck. Das Auto, Schlüsselelement des suburbanen Alltags, wirkt hier wie auf ein Podest gestellt.

Maison Tegna Ticino

Le terrain de petites dimensions est caractérisé par une forte pente et l'édifice prend place de manière imposante dans le paysage. Cette construction, faite de béton apparent, se compose de deux maisons presque semblables et est littéralement encastrée dans l'espace sur lequel elle s'élève. Une nouvelle topographie voit ainsi le jour qui met en valeur les données géométriques de départ, à savoir une forte pente au tracé précis. Cet objectif se reflète dans l'architecture du bâtiment et dans le matériau utilisé. Le béton apparent et teinté à l'aide de fer oxydé fait de cette demeure un objet monolithique. Vue de l'extérieur, on dirait une masse de pierre taillée dans un seul bloc. Seuls une source de lumière et une « cavité » dans la substance du bloc en signalent l'entrée. Le toit est conçu comme une cinquième façade et fait avec sa plate-forme office de parking. Sur ce podium, la voiture, un élément clé de notre culture urbaine, devient pièce d'exposition.

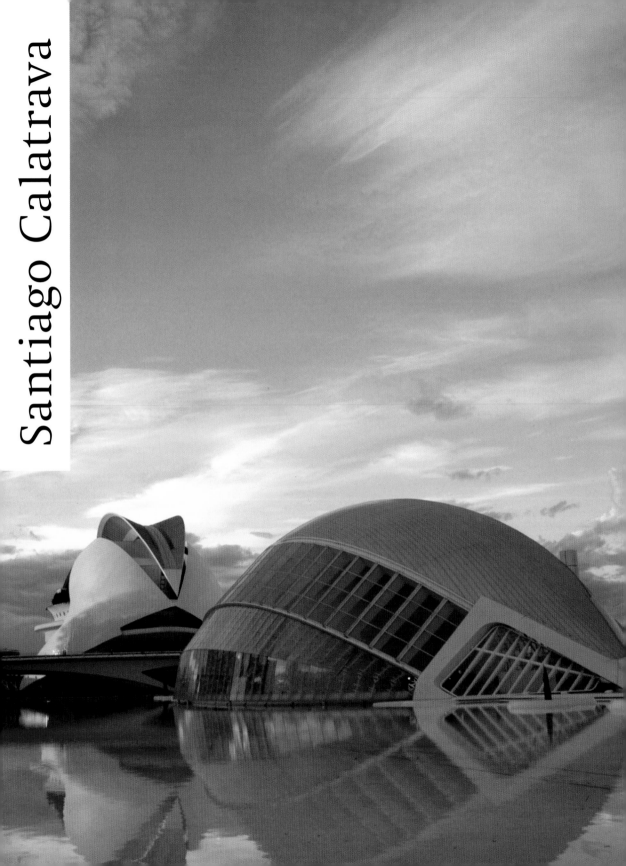

Santiago Calatrava

City of Arts & Sciences

The building complex includes an extravagant opera, the largest aquarium in Europe, a museum, a botanical garden and a 3-D movie theater. Yet, once again, Calatrava's buildings show an expressive dynamic, incorporating an informal approach to mix concrete and steel, which is employed in the organic design tradition of modern times. Steel is no longer hidden in the concrete, but instead exposed. At times, it might even replace the concrete depending on the requirements of the construction and the amount of compressive and tensile force. Even the facing of the shells and other building elements evoke regional patriotism: the facing consists of shiny white ceramic shards, called Trencadìs, known from some of Antoni Gaudi's designs. Together with the light concrete and the striped building elements, they form an aesthetic trinity in white.

Stadt der Künste & Wissenschaften

Der Gebäudekomplex umfasst eine extravagante Oper, das größte Aquarium Europas, ein Museum, einen botanischen Garten und ein 3-D-Kino. Einmal mehr zeigen Calatravas Bauten eine expressive Dynamik, sein zwangloser Umgang mit einem Mix aus Beton und Stahl, der in einer organischen Entwurfstradition der Moderne eingesetzt wird. Der Stahl liegt nicht mehr nur verborgen im Beton, sondern tritt aus ihm hervor oder löst ihn ab, je nach den Erfordernissen der Konstruktion und der aufzunehmenden Druck- und Zugkräfte. Schon die Verkleidung der Schalen und anderer Bauteile ist eine lokalpatriotische Reminiszenz: eine Verkleidung aus weiß glitzernden Keramikscherben, Trencadìs genannt und von manchen Gaudì-Bauten her bekannt, bedeckt diese Flächen. Mit dem hellen Beton und den gestrichenen Bauteilen bilden sie somit eine ästhetische Dreieinigkeit in Weiß.

Cité des arts & des sciences

Le complexe se compose d'un opéra à l'architecture extravagante, du plus grand aquarium d'Europe, d'un musée, d'un jardin botanique et d'une salle de cinéma en trois dimensions. Les constructions de Calatrava font une fois encore preuve d'une éloquente dynamique, fruit d'un libre mariage du béton et de l'acier qui s'inscrit dans une conception organique de la modernité. L'acier n'est plus seulement un élément dissimulé dans le béton, au contraire, il s'en détache ou le remplace, selon les besoins de l'édifice et les forces de pression et de traction nécessaires. Le revêtement des coques et d'autres éléments architecturaux n'est pas sans rappeler une tradition locale : un habillage composé de tessons de céramique d'un blanc brillant, une méthode appelée trencadìs et que l'on retrouve dans certains édifices conçus par Gaudì. Le béton et les éléments peints en couleur claire viennent s'ajouter à cette décoration pour composer une trinité de blanc.

David Chipperfield Architects

Literature Museum in Marbach

Elegant motives of classical architecture merge with contemporary formalism; the slender supports and thin attikas unite the classical theme and contemporary building technology. The sharp-cornered execution of all building elements highlights the clarity of this minimalist architecture. A light gray color scheme was chosen for the concrete to harmonize with the tropical wood and shell limestone surfaces used. This color is created using blast furnace cement and adding shell limestone gravel. Partially cut into the slope and partially jutting out of the rock, this building highlights the tension between inner space and outer space, daylight and artificial light as well as that between house and landscape, thus exemplifying the museum's defining theme.

Literaturmuseum Marbach

Hier verschmelzen elegant Motive klassischer Architektur mit einer zeitgenössischen Formensprache. Durch die schlanken Stützen und die dünne Attika wird das klassische Thema mit zeitgenössischer Bautechnik variiert. Die Klarheit der minimalistischen Architektur wird durch die scharfkantige Ausführung aller Bauteile unterstrichen. Um mit dem eingesetzten Tropenholz und den Muschelkalk-oberflächen zu harmonieren, wurde ein hellgrauer Farbton für den Beton gewählt. Erzeugt wird dieser Farbton durch die Beimischung von Muschelkalk-split und die Verwendung von Hochofenzement. Auf der einen Seite in den Hang eingeschnitten, auf der anderen Seite aus diesem herausragend, wird die Spannung zwischen Innenraum und Außenraum, Tageslicht und Kunstlicht sowie Haus und Landschaft zum bestimmenden Thema des Literaturmuseums.

Musée de la littérature de Marbach

D'élégants éléments d'architecture classique et des formes contemporaines se mélangent pour former cet ensemble. Le classicisme avec ses étroites colonnes et son attique est confronté aux techniques modernes de construction. La netteté de l'architecture minimaliste est soulignée par les angles vifs que l'on retrouve dans tous les éléments de l'édifice. Dans un souci d'harmonisation avec le bois des tropiques et le calcaire lacustre qui recouvre les surfaces, on a opté pour un béton de couleur claire. Cette couleur a été obtenue en incorporant des morceaux de calcaire lacustre et en utilisant un ciment de haut fourneau. Dans cet édifice encastré d'un côté dans une pente, mais dominant le versant de l'autre, on décèle une tension entre les espaces intérieurs et extérieurs, la lumière du jour et la lumière artificielle, la construction et le paysage qui l'entoure. Cette particularité est l'aspect dominant du musée de la littérature.

Furniture & accessories

Opus caementitium—even though the objects created by Concreto have a high-mass content, they do not seem heavy in the slightest. On the contrary, the clear formalism and daring flatness bestow an inestimable elegance to Concreto's tables, kitchen working surfaces, shelves and fireplaces. Such a harmonious union of stability and dynamics is rendered possible through a unique and highly precise pouring technique and enhancement of the properties. Concreto uses four different concrete mixtures depending on the intended use and desired effect. The specific surface structure and the mineral content result in certain basic colors and properties.

Möbel & Accessoires

Opus caementitium – obwohl die Objekte von Concreto viel Masse besitzen, wirken sie keineswegs schwer. Ihre klare Formensprache und kühne Flächigkeit verleihen den Tischen, Küchenplatten, Regalen und Feuerstellen eine unglaubliche Eleganz. Ermöglicht wird diese Vereinigung von Stabilität und Dynamik durch ein spezielles hochpräzises Gussverfahren und erweiterte Materialeigenschaften. Je nach Einsatzzweck und erwünschter Wirkung werden bei Concreto vier unterschiedliche Betonmischungen eingesetzt. Durch diese spezifische Oberflächenstruktur und die enthaltenen Mineralbestandteile ergeben sich bestimmte Grundfärbungen und Eigenschaften.

Meubles & accessoires

Opus caementitium. Bien que les objets conçus par Concreto aient une imposante masse volumique, ils nous apparaissent légers. Le langage clair de leurs formes ainsi que l'audace qui se dégage de leur surface plane donnent aux tables, plans de travail, étagères et foyers une élégance unique en son genre. Cette association entre dynamisme et stabilité est le résultat d'un moulage spécifique et extrêmement précis, et d'une transformation des propriétés du matériau. Selon l'objet à réaliser et l'effet recherché, ce sont quatre mélanges différents de béton qui sont utilisés chez Concreto. Les teintes et les propriétés spécifiques sont le fruit de ce travail sur la structure des surfaces et de l'introduction de minéraux.

Concreto takes a position in the context of design in limited spaces; the designers make clear statements about solid furniture. While looking for lasting solutions, Concreto transforms lines and surfaces into sharp-cornered objects in the room—furniture that looks as if it has always been there.

Concreto bezieht Stellung im Kontext reduzierter Raumgestaltung, die Designer treffen klare Aussagen, wo es um solide Möbel geht. Auf der Suche nach bleibenden Lösungen zeichnen Linien und Flächen kantige Gegenstände in den Raum: Möbel, so endgültig platziert, als wären sie immer schon da gewesen.

Concreto a des prises de position claires lorsqu'il s'agit d'aménagement minimaliste de l'espace. Ses designers ont une idée précise de ce qu'est un meuble fixe. À la recherche de solutions sur le long terme, les objets sont réalisés avec des surfaces et des lignes à angles droits qui s'imposent dans l'espace pour former des meubles qui nous semblent avoir toujours été là.

d.n.a architects Trint + Kreuder

Heid House

'Absolutely simple' or also 'Simply absolute' is the working maxim of these architects. This credo led to the creation of an uncompromisingly sober building—a seamless concrete box, with three stories and three large openings—simple and absolute. The building and plan are identical: three boxes of about 33 by 33 feet (10 x 10 meters), open to the front and turned on a 90° angle were stacked on top of each other, opening the top roof up to the sky. The upper boxes are lofts for living areas, the children's rooms and those of the parents. Each story consists of only two walls, ceiling and floors—all out of smoothed or otherwise tempered concrete. Recognition of the material is essential. The concrete remained in its natural state for all visible surfaces and never received any further treatment.

Haus Heid

„Absolut einfach" oder auch „einfach absolut" lautet der Grundsatz nach dem die Architekten arbeiten. Aus diesen Grundbedingungen entstand eine fugenlose „Betonkiste" mit drei Etagen und drei großen Öffnungen, ein kompromisslos schlichter Bau, einfach und absolut. Konstruktion und Grundriss sind identisch: drei Schachteln von etwa 10 x 10 Meter Kantenlänge, stirnseitig offen, wurden jeweils um 90° gedreht, aufeinander gestapelt, im Dach aufgeklappt und zum Himmel geöffnet. Diese Schachteln bilden Lofts für Wohnen, Kinder und Eltern. Jedes Geschoss besteht nur aus zwei Wänden sowie Boden und Decke, sämtlich aus Beton, dessen Oberfläche geglättet oder anderweitig vergütet ist. Im Vordergrund steht die Ablesbarkeit der Materialien. Hier ist der Beton an allen sichtbaren Oberflächen in seiner Ursprünglichkeit vorhanden, eine Nachbehandlung des Betons fand nicht statt.

Maison Heid

« La simplicité absolue » ou « l'absolu dans sa simplicité » : voici les maximes qui guident le travail des architectes. Et c'est ainsi qu'une « boîte de béton » sans joints a vu le jour, composée de trois étages et de trois grandes ouvertures sur l'extérieur : une construction pure qui ne cède à aucun compromis, bref d'une simplicité absolue. Le plan et la construction sont identiques. Il s'agit de trois boîtes de 10 X 10 m, ouvertes sur un côté et qui ont été posées l'une sur l'autre en les tournant à 90°. La boîte la plus haute, avec son rabat, est ouverte sur le ciel. Ces boîtes abritent des lofts avec des espaces de vie pour parents, enfants et pièces communes. Chaque étage se compose de deux murs seulement, d'un sol et d'un plafond, tous de béton, à la surface lisse ou utilisée à d'autres fins. C'est l'effort de lisibilité du matériau qui domine l'ensemble. Ici, le béton est à l'état brut sur toutes les surfaces visibles, il n'y a pas eu de traitement ultérieur du matériau.

The glass side walls give a panoramic view of the surrounding landscape: a lawn and wooden courtyard from the living room, fruit trees with morning and evening sun from the children's room and forest and sky from the parents' room.

Die verglasten Gebäudeseiten fangen die umgebenden Landschaften als Panorama ein: Wiese und hölzerner Hof für das Wohnen, Obstbäume mit Morgen- und Abendsonne für die Kinder, Waldrand und Himmel für die Eltern.

Les parois en verre de l'édifice proposent une vue panoramique du paysage qui entoure la maison : une pelouse et une ferme en bois pour l'espace de vie commune, des arbres fruitiers et le soleil du matin et du soir pour l'espace des enfants, l'orée des bois et le ciel pour l'espace réservé aux parents.

Atrium House

Constructed in connection with the building exhibit of the Garden and Flower Show in Trier, Germany, in 2004, this building continues the tradition of a historical Roman building culture of that area. One of the main themes of the design was a clearly organized organism with paths, squares, passages, inner and outer spaces. Exposed concrete was used for the inner walls and ceilings, as it represents the essence of proportion, direction and light. Protected from outside, the living room area is the true heart of the home, where concrete and basalt were deliberately used. Outer and inner rooms, light and dark areas, narrow and wide zones, all highlight the true intentions of the spatial design. Daylight shines on the paths that lead through this residential house—a truly modern Atrium house, which has taken the notion of a classical Roman house and adapted it for the 21st century.

Atrium Haus

Das Gebäude entstand im Rahmen einer Bauausstellung der Landesgartenschau Trier 2004 und knüpft an eine historische römische Baukultur in Trier an. Ein klar organisierter Organismus mit Wegen, Plätzen, Durchgängen, Innen- und Außenräumen wird zum Thema des Entwurfs. Das Material für die Innenwände und Decken ist Sichtbeton, der die Themen Proportion, Wegführung und Licht elementar darstellt. Der Wohnzimmerbereich ist das Herz des Hauses, geschützt vor Einblicken, in dem Beton und Basalt bewusst eingesetzt wurden. Außen- und Innenräume, helle und dunkle Bereiche, enge und weite Zonen betonen die Intentionen der Raumgestaltung. Das Tageslicht prägt die Wege, die durch das Wohnhaus führen. Entstanden ist ein modernes Atriumhaus, welches die Idee des klassischen „Römerhauses" in das 21. Jahrhundert transformiert.

Maison en forme d'atrium

Cet édifice a vu le jour dans le cadre de l'exposition horticole 2004 de Trêves et se réfère historiquement aux origines romaines de la ville. Le thème central du projet : un organisme bien structuré avec ses chemins, ses petites places, ses couloirs, ses espaces intérieurs et extérieurs. On a utilisé du béton apparent pour les murs intérieurs et les plafonds, lequel était à même de représenter les notions de proportion, de lisibilité de l'espace et de lumière. La salle de séjour est le cœur de la maison, protégé des regards par une utilisation bien pensée du béton et du basalte. Les objectifs de l'aménagement de l'espace se retrouvent dans l'agencement des intérieurs et des extérieurs, des espaces clairs et plus sombres, des zones étroites et plus larges. La lumière du jour éclaire les chemins qui conduisent à travers la maison. C'est une maison en forme d'atrium qui a vu le jour, et qui transpose au XXIe siècle la notion de demeure romaine antique.

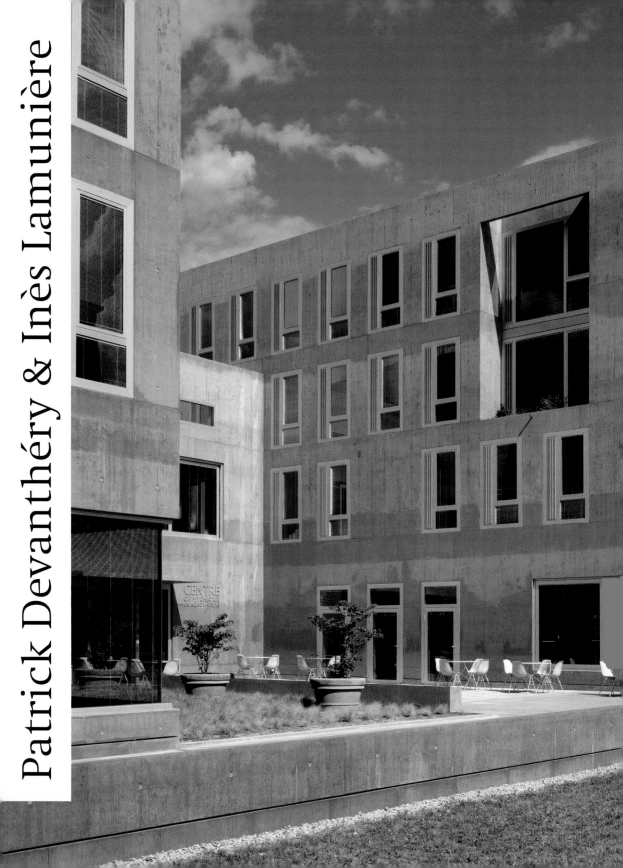

Patrick Devanthéry & Inès Lamunière

Psychiatric Clinic

This new center for psychiatric treatment is the result of an architectural competition. The estate is part of a construction plan that minutely adhered to all construction limits and building height regulations. While the concrete body expresses the solidity of the building, it possibly also functions as a reminder of the production process. Inspiration for the final façade came from many sources, notably, from multi-colored sand levels between two glass layers and from sediment layers, such as those found in the temple caves of Petra. The irregular color transitions from one level to another strengthen this impression. The colors used here range from dark crimson and rusty red over red-violet, sepia to dark ocher. The building was poured out of in-situ concrete to avoid expansion joints.

Psychiatrische Klinik

Das neue Zentrum für psychiatrische Behandlung ist das Ergebnis eines Architekturwettbewerbs. Das Grundstück ist Teil eines Bebauungsplans mit sehr präzise gefassten Bebauungsgrenzen und Bauhöhen. Der Betonkörper drückt die Festigkeit des Gebäudes aus und erinnert vielleicht an dessen Herstellungsprozess. Zur Vorstellung des endgültigen Fassadenbildes dachte man an verschiedenfarbige Sandschichten zwischen zwei Glasplatten oder an Sedimentschichten, wie sie in den Tempelhöhlen von Petra vorkommen. Die unregelmäßigen Farbübergänge von einer Schicht zur nächsten unterstreichen diesen Eindruck. Die hier benutzten Farben reichen von dunkelrot über rostrot bis hin zu rot-violett, sepia oder dunkelocker. Das Gebäude wurde aus Ortbeton gegossen, um unter anderem jegliche Dehnungsfugen zu vermeiden.

Clinique psychiatrique

Ce centre de soins psychiatriques a été réalisé dans le cadre d'un concours d'architecture. Le terrain qui l'accueille fait partie d'une zone constructible soumise à une réglementation très précise concernant la hauteur des constructions et les espaces entre bâti et limites du terrain. Le corps de béton traduit la solidité de l'ensemble et évoque peut-être les étapes de sa fabrication. Lors de la conception de l'aspect final de la façade, on s'est inspiré des effets produits par l'accumulation de couches de sable de différentes couleurs entre deux plaques de verre ainsi que des couches sédimentaires comme celles des grottes du temple de Petra. Aussi les différentes couches de peinture ont-elles été appliquées de manière irrégulière afin de reproduire ces impressions. Les couleurs utilisées ici vont du rouge foncé au rouge-violet, rouge sépia et ocre foncé en passant par le rouille. Le bâtiment a été réalisé dans du béton coulé sur place afin entre autres d'éviter l'utilisation de joints de dilatation.

Reds in a variety of nuances, precise architecture and high-quality materials characterize this building.

Rottöne in vielfältigen Nuancen, eine exakte Architektur und hochwertige Materialien prägen das Gebäude.

Cet ensemble est caractérisé par sa couleur, un rouge décliné dans toutes ses nuances, l'exactitude de son architecture et la qualité des matériaux utilisés.

Floors made from polished concrete as well as floors and ceilings from mortar concrete create a simple and light atmosphere.

Fußböden aus geschliffenem Beton sowie Wände und Decken aus Mörtelbeton generieren eine schlichte und leichte Atmosphäre.

Les sols dont le béton a été poncé et les murs et plafonds réalisés à partir de mortier de béton créent une atmosphère épurée et légère.

Diener & Diener

SCHWEIZERISCHE
BOTSCHAFT

Swiss Embassy

Switzerland owns a building near the Berlin Reichstag, which, with some interruptions, has served as the Swiss Embassy since 1919. According to the architects' design, the old building was completely separated from the new building. Due to its radically different architectural approach, the extension cannot be compared with the old building. A clear building form was decided upon—a seemingly introverted concrete cube, which is divided by four different openings on its south side and by a row of large window openings on the eastern façade. A second layer consisting of a 23.5 inch (60 cm) thick concrete wall was placed in front of the west wall, which recedes by around 17.5 inch (45 cm) wherever the windows are indicated, thus corresponding to the architectonic language of the new construction.

Schweizer Botschaft

In Nähe des Berliner Reichstags verfügt die Schweiz über ein Gebäude, welches ihr seit 1919 – wenn auch mit Unterbrechungen – als Konsulat dient. Nach dem Entwurf der Architekten wurde der Altbau vom Neubau strikt getrennt. Der Erweiterungsbau entzieht sich durch seine grundsätzlich andere Architekturauffassung dem Vergleich mit dem Altbau. Man entschied sich für eine klare Bauform – ein introvertiert wirkender Betonkubus, der an seiner Südfassade durch vier verschiedene Öffnungen und an der Ostfassade durch eine Reihe von großen Fensteröffnungen unterteilt wird. Vor die westliche Außenwand wurde eine zweite Schicht aus ca. 60 cm dickem Beton gestellt, die an den angedeuteten Fenstern um 45 cm zurückspringt. Die Blindfenster erklären die Wand eindeutig als zum Palais gehörend. Somit korrespondieren sie mit der architektonischen Sprache des Neubaus.

Ambassade de Suisse en Allemagne

À Berlin, la Suisse dispose à proximité du Reichstag d'un bâtiment qui depuis 1919 – avec des interruptions – fait office de consulat. Le nouvel édifice a été conformément aux plans de l'architecte, érigé en toute autonomie par rapport à l'ancien bâtiment. Il ne peut aucunement lui être comparé, tant sa conception architecturale diffère. On a opté pour une forme simple : un cube de béton à l'aspect quelque peu introverti et qui sur sa façade sud est composé de quatre ouvertures et sur sa façade est d'un alignement de grandes fenêtres. Devant le mur extérieur ouest, on a coulé une deuxième couche de béton d'environ 60 cm d'épaisseur, laquelle s'étend sur 45 cm juste au dessous de fenêtres à peine esquissées. Ces ouvertures aveugles font à l'évidence de ce mur un élément de l'ancien édifice qui le jouxte. C'est ainsi que ce dernier correspond avec le langage architectonique du nouveau bâtiment.

With the façade compositions, this new construction out of exposed concrete attempts to enliven the solidly fixed impression of the older building thus redirecting the optical focus to the spacious new entrance.

Der Sichtbeton-Neubau versucht durch seine Fassadenkomposition den fest gefügten Ausdruck des Altbaus zu dynamisieren, um so das optische Gewicht zum neuen offenen Eingangsbereich zu verschieben.

La nouvelle construction réalisée en béton apparent s'efforce par la composition de sa façade d'introduire une dynamique par rapport à l'apparence figée de l'ancien édifice, ce afin de détourner le regard vers la nouvelle entrée.

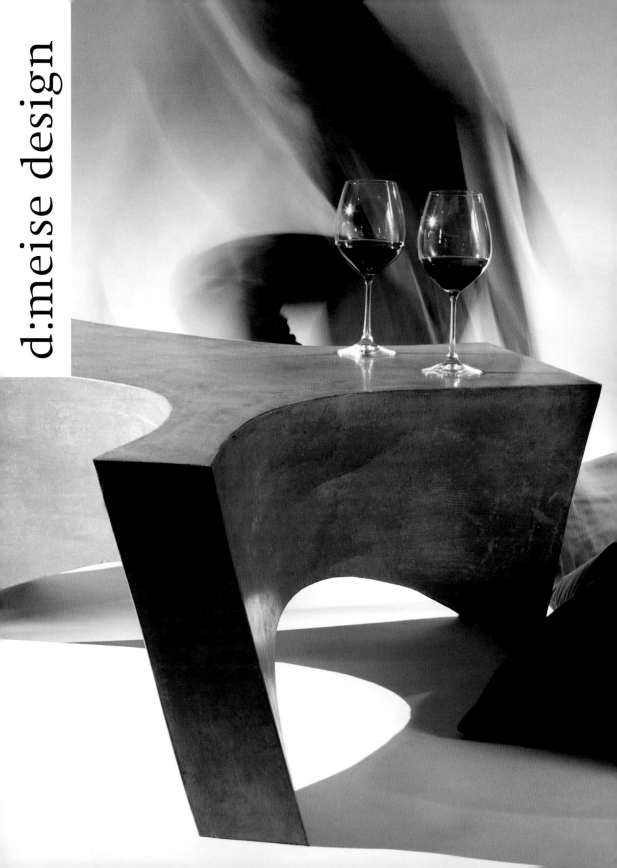

d:meise design

Bone & Bridge

While working on various projects, the designer and manufacturer Daniel Meise discovered the unique characteristics of fiber-reinforced concrete. The particular mixture of glass fibers, natural polymers, cement and sand creates extremely tough and resistant surfaces, despite the small amount of material used. Bone, a couch table, is one example of how the material properties can be used to create an object which is surprisingly light, in spite of its massive appearance. Bridge, however, is unique because of the exceptionally low strength of materials used. As indicated by its name, the table is shaped like a bridge, allowing books to be stored on a Plexiglas shelf in the open cavity.

Bone & Bridge

Der Designer und Hersteller Daniel Meise entdeckte während seiner Arbeit die besonderen Eigenschaften von faserverstärktem Beton. Die spezielle Mischung aus Glasfaser, natürlichen Polymeren, Zement und Sand erlaubt es, extrem harte und widerstandsfähige Flächen bei geringem Materialeinsatz zu erzeugen. Beim Couchtisch Bone wurden die Materialeigenschaften dahingehend genutzt, ein Objekt zu entwickeln, das trotz seiner „massigen" Erscheinung durch sein geringes Gewicht überrascht. Bridge dagegen besticht durch seine erstaunlich geringe Materialstärke. Wie der Name bereits verrät, ist die Form dieses Tisches einer Brücke ähnlich. Im entstandenen Hohlraum können mit Hilfe eines Halters aus Plexiglas Bücher verstaut werden.

Bone & Bridge

Le designer et fabricant Daniel Meise a découvert dans le cadre de son travail les propriétés particulières du béton renforcé de fibres. Le mélange de fibres de verre, de polymères naturels, de ciment et de sable permet la réalisation de surfaces très résistantes, ce en utilisant peu de matériaux. Lors de la fabrication de la table basse Bone, on a voulu avec cette association de matériaux créer un objet qui, malgré son aspect massif, étonne par son petit poids. Bridge est au contraire une création saisissante de légèreté. Comme l'indique son nom, la forme de cette table s'apparente à celle d'un pont. À l'aide d'éléments en plexiglas, on peut ranger des livres dans la cavité créée par son design.

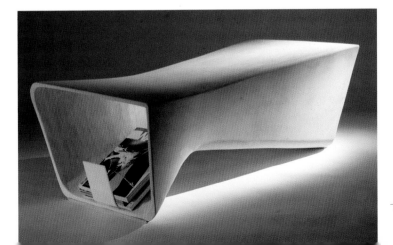

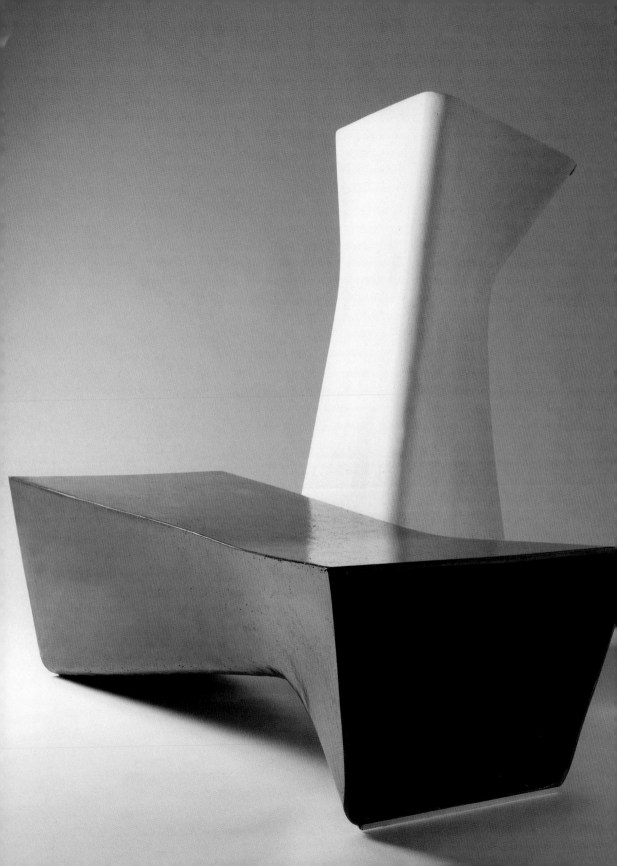

Liquid stone is unsurpassed in its malleability, which permits creation of endless new forms and a variety of individual expressive opportunities. The material repeatedly inspires new ideas and possibilities—they just have to be put into practice.

Der flüssige Stein ist in einem bis heute nicht übertroffenen Maße gestaltbar und ermöglicht so immer wieder neue Formen und vielfältige individuelle Ausdrucksmöglichkeiten. Immer wieder regt der Werkstoff zu neuen Ideen an. Es kommt darauf an, was man daraus macht!

La pierre liquide est d'une flexibilité sans égale qui autorise un processus de création de formes sans cesse renouvelé et une grande individualité. Ce matériau inspire des idées toujours nouvelles. Tout dépend de ce qu'on en fait !

e2a eckert eckert eckert architekten

Glaernischstrasse House

Terrace houses are dangerous types of houses. They have become the most common type of buildings in construction and development projects for upper-class multi-family houses situated on a slope. The true secret of success for this type of house is the inimitable combination of minimal volume and maximal living surface. The building conveys the same rough qualities as the rock it was cut into, filling the terrain. An open carport is located at the entry, the result of the driveway stretching over the entire estate width. The entrance is hewn into the rock and is without windows on the sides. Seen from afar as six unhewn steps, the terrace houses offer a phenomenal view to the south.

Haus Glaernischstrasse

Terrassenhäuser sind ein gefährlicher Haustyp. Sie haben sich zum häufigsten Gebäudetyp bei Bauentwicklungsprojekten für Upper-Class-Mehrfamilienhäuser in Hanglage entwickelt. Das wahre Geheimnis des Erfolges dieses Haustyps ist die konkurrenzlose Kombination von minimalem Volumen und maximaler Wohnfläche. Das Gebäude vermittelt die gleiche Rauheit wie der Fels, in den es hinein geschnitten ist: eine Geländefüllung. Am Eingang befindet sich ein offener Carport als eine über die ganze Grundstücksbreite sich erstreckende Einfahrt. Der Zugang ist tief in den Fels geschnitten, in den Wangen fensterlos. Die Terrassenhäuser als sechs wahrhaft raue Stufen ausgebildet, bieten mit ihrer Ausrichtung nach Süden einen phänomenalen Ausblick.

Ensemble Glaernischstrasse

Les maisons construites en terrasse sont un type d'habitat à risques. Elles sont devenues un genre très répandu lorsqu'il s'agit de construire sur un terrain en pente des appartements pour familles aisées. Le secret qui explique la réussite de cette forme d'habitat réside dans une association qui défie toute concurrence : celle combinant volume minimal et surface d'habitation maximale. Le bâtiment présente un aspect rugueux identique à celui de la roche dans laquelle il vient s'encastrer : le type même de construction se fondant « dans la nature ». L'entrée est caractérisée par un auvent. Ce dernier donne accès à un escalier qui chemine sur toute la largeur du terrain. Cet escalier est profondément découpé dans la roche et ses parois ne comportent pas de fenêtres. Les appartements en terrasse, au nombre de six, forment un ensemble de grandes marches suspendues à l'aspect rude et offrent de par leur orientation plein sud un panorama spectaculaire.

Peter Eisenman

Holocaust Memorial

The Memorial to the murdered Jews of Europe serves as a memorial to the Jewish victims killed under the rule of National Socialism. Intended as a sculpture best experienced when walking through the memorial, this open artwork inspires intense emotions. Visitors and inhabitants of Berlin alike cannot overlook the memorial when walking from the Brandenburg Gate to the Potsdam Square. Dark gray concrete stelae stand in an orthogonal grid pattern next to each other, are, however, arranged in a slightly crooked manner. The architect planned to provoke a sense of unease, irritation and loss of orientation through the rifts and unexpected geometry—a 'placeless place' was the goal. In 2007, the Holocaust Memorial was given the architect award 'AIA Institute Honor Awards,' which is the highest form of recognition in the USA for architects.

Holocaust Mahnmal

Das Denkmal für die ermordeten Juden Europas dient als Mahnmal für die unter der Herrschaft des Nationalsozialismus im Holocaust ermordeten Juden. Es ist eine begehbare Skulptur – ein offenes Kunstwerk, das große Emotionen weckt. Auf dem Weg vom Brandenburger Tor zum Potsdamer Platz ist das Mahnmal für die Berliner und Berlin-Besucher unübersehbar. Die dunkelgrauen Betonquader stehen in einem orthogonalen Raster eng beieinander, sind jedoch leicht schief angeordnet. Der Architekt beabsichtigte durch diese Verwerfungen und ungewohnten Geometrien eine Irritation und Orientierungslosigkeit des Besuchers. Er wollte einen „ortlosen Ort" schaffen. Das Holocaust-Mahnmal erhielt 2007 den US-amerikanischen Architekturpreis „AIA Institute Honor Awards", der als höchste Anerkennung für Architektur in den USA gilt.

Monument commémoratif de l'Holocauste

Le monument commémore le génocide des juifs d'Europe par les Nazis. Il s'agit d'une sculpture dans laquelle on peut se déplacer, une œuvre d'art ouverte qui fait appel à l'émotion. Placé entre la porte de Brandenbourg et la Potsdamer Platz, les Berlinois ou les touristes ne peuvent manquer de voir le monument. Les parallélépipèdes en béton gris foncé sont étroitement rangés mais de manière irrégulière dans un quadrillage orthogonal. L'intention de l'architecte était de créer une géométrie inhabituelle qui déroute et désoriente le visiteur, de réaliser un « lieu qui n'en était pas un ». Le monument commémoratif de l'Holocauste a reçu en 2007 le « AIA Institute Honor Award », un prix américain qui aux États-Unis fait figure de plus haute récompense en matière d'architecture.

With an identical grid plan
(7.8 feet x 3.1 feet; 2.38 m x 0.95 m),
and differing heights, the stelae's
heights vary from ground level to
15.4 feet (4.7 m). Of those that are
higher than ground level, 367 are
shorter than 3.2 feet (1 m), 869 are
between 3.2 and 6.5 feet (1 to 2 m),
491 are between 6.5 and 9.8 feet
(2 to 3 m) high, 569 are between
9.8 and 15.4 feet (3 to 4 m) and 303
are higher than 15.4 feet (4 m).
The heaviest weighs around six-
teen tons.

Bei identischem Grundriss
(2,38 m x 0,95 m) sind die Stelen
unterschiedlich hoch, zwischen
ebenerdig und 4,7 m. Von den
nicht-ebenerdigen Stelen sind 367
kleiner als ein Meter, 869 haben
Höhen von ein bis zwei Metern,
491 Stelen sind zwischen zwei
und drei Metern hoch, 569 Stelen
haben eine Höhe zwischen drei
und vier Metern und 303 sind größer als vier Meter. Die schwerste
wiegt etwa 16 Tonnen.

Les stèles ont un socle de superficie identique (2,38 m x 0,95 m)
mais se distinguent par leur
hauteur qui peut varier du ras du
sol à 4,7 m. Parmi les stèles qui ne
se trouvent pas à ras du sol, 367
sont en dessous du mètre, 869 ont
une hauteur comprise entre un
et deux mètres, 491 entre deux et
trois mètres, 569 stèles font entre
trois et quatre mètres et 303 stèles
s'élèvent au dessus des 4 mètres.
La stèle la plus lourde pèse environ 16 tonnes.

e-studio

Organic concrete

In timing with the Lisbon Design Biennale 'Experimenta—Design 2005,' e-studio developed a material that takes vegetative and inorganic matter to create one sole element. Organic concrete resulted from questions pertaining to the differences of natural and artificial conditions—questions, which arose in a number of projects. The material consists of a slab of reinforced concrete, into which 10 to 30 percent sod is integrated. The varying percentage affects the vegetative impression, without reducing the mechanical properties of resistance. By using the humidity stored in the concrete, the material stores water, which it emits during dry periods. Seen as a surface, organic concrete represents a pervious, living surface, which returns a natural element to public urban life.

Organischer Beton

Anlässlich der Lissabonner Design-Biennale „Experimenta-Design 2005" hat e-studio ein Material entwickelt, das Vegetatives und Unorganisches in einem einzigen Element zusammenführt. Entstanden ist das Projekt „Organischer Beton", indem bei mehreren Projekten die Unterscheidung zwischen natürlichen und künstlichen Bedingungen fortschreitend hinterfragt wurde. Das Material besteht aus einer Stahlbetonplatte, in die ein Anteil von 10 bis 30 Prozent Grasnarbe integriert ist, um ein lockereres oder dichteres Pflanzbild zu erzielen, ohne dass die mechanische Widerstandsfähigkeit beeinträchtigt wird. Durch die Nutzung der im Beton eingelagerten Feuchtigkeit fungiert das Material als Speicher, der in trockenen Perioden Wasser freisetzt. Als Oberfläche betrachtet erscheint der organische Beton als durchlässige, lebendige Fläche, die ein natürliches Element in den öffentlichen Stadtraum zurückbringt.

Béton organique

E-studio a mis au point à l'occasion de la biennale « Experimenta – Design 2005 » à Lisbonne un matériau qui réunit en un seul élément le végétal et l'inorganique. C'est ainsi que le projet « béton organique » a vu le jour au sein duquel on étudie de manière avancée la démarcation entre le naturel et l'artificiel. Le matériau créé par e-studio se présente sous la forme d'une plaque d'acier et de béton auquel on a intégré entre 10 % et 30 % de gazon. L'objectif est de créer un tapis végétal plus ou moins dense sans pour autant amoindrir les propriétés de résistance du béton. Utilisant l'humidité qui se dépose en son sein, ce dernier fait office de réservoir qui dispense l'eau nécessaire en période sèche. Utilisé comme matériau de surface, le béton organique crée des espaces perméables et vivants qui favorisent le retour du végétal en zone urbaine.

Form in Funktion

Furniture & accessories

Concrete can be soft; steel can emit warmth; massive pieces of furniture can seem delicate. Despite their lightweight construction, these objects seem massive, yet their surface is honest. By using high-tech concrete, which does not require plastic, the designers are able to form pieces of furniture out of various shapes and colors. When combined with rare woods and corten steel, these purist, sleek and yet emotional pieces of furniture are unexpected and exiting. These seemingly light individual objects are bound to make a clear statement in the modern living area.

Möbel & Accessoires

Beton kann weich sein, Stahl kann Wärme ausstrahlen, massive Möbelstücke erscheinen filigran. Trotz ihrer leichten Bauweise wirken diese Objekte massiv, sind jedoch ehrlich in der Oberfläche. Durch Einsatz von HighTech-Beton, der ohne Kunststoffe auskommt, sind die Designer in der Lage, die unterschiedlichsten Formen und Farben zu individuellen Möbelstücken zu formen. Edel, puristisch und dennoch emotional wirken die Möbel aus Beton, spannend und überraschend kombiniert mit edlen Hölzern und Cortenstahl. Die leicht erscheinenden, individuellen Objekte sorgen so für klare Verhältnisse im modernen Wohnbereich.

Meubles & accessoires

Le béton peut être une matière douce, l'acier une source de chaleur, des meubles massifs peuvent apparaître délicats. Ces objets ont une apparence massive malgré la simplicité de leur forme. Et pourtant, leur surface dénote une grâce certaine. En utilisant un béton high-tech sans matière plastique, les designers sont en mesure de créer des pièces de mobilier individuelles, de formes et de couleurs différentes. Ces meubles de béton ont un aspect noble, presque austère, et pourtant on découvre une chaleur dans ces éléments qui permettent de surprenantes associations avec des bois nobles ou de l'acier patiné. Ces objets originaux et gracieux forment des repères dans un espace de vie moderne.

The designers specialize in filigree and apparently light furniture made out of concrete. Through experimental work, exceptional objects have been created to meet and surpass their clients' individual needs.

Die Designer haben sich auf filigran und leicht wirkende Möbel aus Beton spezialisiert. Durch experimentelles Arbeiten entstehen außergewöhnliche Objekte die sich an den individuellen Wünschen der Kunden orientieren.

Les designers se sont spécialisés dans la réalisation de meubles de béton à l'aspect gracile et délicat. Ce sont des objets extraordinaires qui voient le jour dans le cadre d'un travail expérimental, des pièces qui sont exécutées en fonction des souhaits exprimés par les clients.

Foster and Partners

Millau-Viaduct

Cable-stayed bridges, such as the Millau-viaduct are becoming increasingly popular. Recent works from Santiago Calatrava, Christian Menn and Ben van Berkel have demonstrated the sculptural expressive power of this type of bridge. British architect Lord Norman Foster designed the Millau-viaduct, which is 1125 feet (343 meters) high and, at least till now, the highest bridge in the world. Looking for an aesthetically pleasing construction, the managing engineer Michel Virlogeux came across the principle of a viaduct, which consisted of many narrow high pillars and a very high deck, which only touches the valley seven times. The construction impressively combines modern concrete and steel technology. Around 50 square miles (80,000 square meters) of concrete and almost as much steel were used during the three-year construction phase.

Millau-Viadukt

Schrägseilbrücken wie das Millau-Viadukt erfreuen sich zunehmender Beliebtheit. Arbeiten von Santiago Calatrava, Christian Menn und Ben van Berkel haben in jüngerer Zeit die skulpturale Ausdruckskraft dieses Brückentyps vor Augen geführt. Das Millau-Viadukt mit insgesamt 343 Metern Höhe wurde vom britischen Architekten Lord Norman Foster entworfen, und ist nunmehr die höchste Brücke der Welt. Auf der Suche nach einer ästhetischen Konstruktion stieß der betreuende Ingenieur Michel Virlogeux auf das Prinzip eines Viadukts, bestehend aus mehreren schlanken, hohen Pfeilern und einem sehr leichten Deck, welches das Tal an nur sieben Punkten berührt. Der Bau verbindet eindrucksvoll modernste Beton- und Stahltechnologie miteinander. Etwa 80.000 m³ Beton und fast genau so viel Stahl hat das Bauwerk während der dreijährigen Bauphase verschlungen.

Le viaduc de Millau

Les ponts suspendus tel le viaduc de Millau sont de plus en plus appréciés. Les réalisations de Santiago Calatrava, Christian Menn ou de Ben van Berkel ont récemment démontré la force esthétique de ce type de ponts. Le viaduc de Millau avec ses 343 m de haut a été conçu par l'architecte anglais Lord Normann Foster et est à l'heure actuelle le pont le plus haut du monde. Dans un souci d'esthétisme, Michel Virlogeux, l'ingénieur qui a encadré le projet, a finalement opté pour le principe de viaduc. Ce dernier se compose de longs piliers étroits et d'une plate-forme légère reliée à la vallée en sept points. Cet ouvrage associe de manière spectaculaire les technologies du béton et de l'acier les plus modernes. Il a fallu produire près de 80 000 m³ de béton et presque autant d'acier pour mener à bien un ouvrage d'architecture dont la réalisation a duré trois ans.

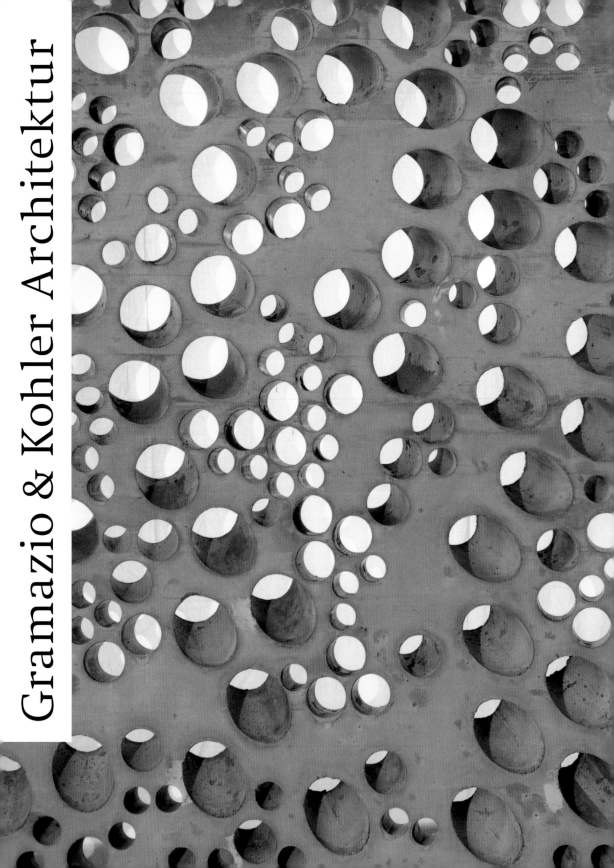

Gramazio & Kohler Architektur

Perforated wall

Swiss cheese or ornamental transparency? The optics of perforation can be steered by the distribution of holes and their individual tilt angles. Specifically written computer programs can serve as design tools. With functions, such as attraction and repulsion of the holes amongst themselves, as well as other geometric parameters in the hole distribution, it is possible to consciously design and depict the desired perforation. The process itself is fast and precise: lone plastic tubes are placed; the mold is poured with concrete. Individual holes show specific angles in their finished state. The wall matter appears as a window with an impressive light and shadow effect. Results vary—from ornaments over dynamics and chaos to functional coherence.

Die perforierte Wand

Emmentaler Käse oder ornamentale Transparenz? Mittels der Lochverteilung und den Auslenkungswinkeln der einzelnen Löcher wird die Optik der Perforation gesteuert. Eigens geschriebene Computerprogramme dienen dabei als Entwurfswerkzeuge. Mit Funktionen wie Anziehung und Abstoßung der Löcher untereinander sowie anderen geometrischen Parametern bei der Lochverteilung lässt sich die angestrebte Perforation bewusst gestalten und darstellen. Sie erfolgt schnell und präzise. In diese werden Plastikrohre einzeln eingesetzt, die Schalung wird mit Beton ausgegossen. Im fertigen Zustand weisen die einzelnen Löcher spezifische Winkel auf. Die Materie Wand erscheint als Bild mit eindrucksvoller Licht- und Schattenwirkung. Die Resultate variieren – von Ornamenten über Dynamik und Chaos bis hin zu funktionalen Zusammenhängen.

Mur perforé

S'agit-il d'un effet qui s'apparente au gruyère ou d'une transparence ornementale ? L'effet d'optique produit par la perforation est le fruit d'une savante répartition des orifices et d'un travail sur les angles. Un programme informatique créé à cette fin a permis de réaliser les esquisses. On a installé des fonctions capables de traiter des données telles que l'attraction et la répulsion des orifices entre eux et d'autres paramètres géométriques utiles lors de leur répartition. Cet outil a permis de concevoir de manière précise la perforation. La réalisation s'est opérée rapidement et avec l'exactitude requise. Avant de couler le béton dans le coffrage, on a introduit dans chaque orifice un tube de plastique. À l'état final de la réalisation, chaque orifice possède un angle qui lui est spécifique. Les effets d'ombre et de lumière produits sont surprenants et l'élément « mur » se transforme en image pour créer un objet ornemental, un effet de dynamisme et de chaos naturel, tout en gardant sa fonctionnalité de départ.

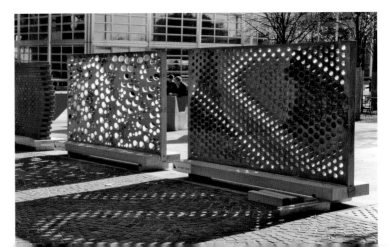

When manufacturing the perforated wall elements, holes are countersunk into slabs of concrete using industrial robots.

Bei der Herstellung der durchlöcherten Wandelemente werden die Schalbretter mittels Industrieroboter ausgefräst.

Au cours de la réalisation, les peaux de coffrage sont perforées à l'aide de robots industriels.

The wall matter is reminiscent of a window; the light and shadow effect is impressive.

Die Materie Wand erscheint als Bild mit eindrucksvoller Licht- und Schattenwirkung.

Le mur se fait tableau avec des effets d'ombre et de lumière surprenants.

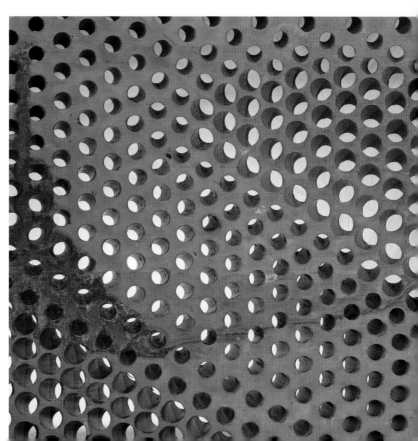

Renovation of a farmhouse

This large farmhouse was carefully analyzed with the owners and adapted according to their needs and requirements for the new living space—an interim shared living arrangement. The architects planned to leave the exterior as is and focus on the conversion of the ground floor and the existing rooms on the first floor. Direct interaction between the natural environment and the living space is encouraged through the conversion of the ground floor into cooking, dining and living areas. With a few exceptions, all ecological building materials correspond to biological building maxims and sustainable aspects. The old substance has been kept and restored as much as possible.

Renovierung eines Bauernhauses

Das große Bauernhaus wurde gemeinsam mit der Bauherrschaft sorgfältig analysiert und entsprechend den Anforderungen an den neuen Lebensraum – eine Wohngemeinschaft auf Zeit – umgebaut. Die Idee sah vor, das Gebäude äußerlich zu belassen und sich beim Ausbau auf das Erdgeschoss und die bestehenden Räume im Obergeschoss zu beschränken. Durch die intensive Nutzung des ganzen Erdgeschosses mit dem neuen Koch-, Ess- und Wohnbereich wird ein starker Dialog des Wohnens mit der natürlichen Umgebung ermöglicht. Die verwendeten ökologischen Baumaterialien entsprechen – bis auf wenige Ausnahmen – baubiologischen Grundsätzen und nachhaltigen Aspekten. Die alte Substanz ist, wo immer möglich, erhalten und saniert worden.

Rénovation d'une ferme

Cette ferme de grandes dimensions a été soigneusement étudiée avec le maître d'œuvre afin de répondre aux besoins de ses futurs occupants – la création d'un habitat adapté à une vie en communauté. Le projet prévoyait de conserver l'aspect extérieur de l'édifice et de se limiter lors de la réhabilitation au rez-de-chaussée et aux pièces situées à l'étage. Au rez-de-chaussée, l'utilisation de l'espace est poussée à son maximum avec l'apparition d'une grande pièce à vivre qui réunit cuisine, salon et salle à manger et établit un dialogue intense avec le paysage. Les matériaux utilisés répondent, à de rares exceptions près, aux normes écologiques en vigueur dans la bioconstruction et prennent en compte les aspects de durabilité. Les éléments du bâtiment initial ont été, lorsque c'était possible, conservés et assainis.

The two-story central communal area is invigorated by the formal tension between the historically kept living area with the large old fire pit and the exposed concrete wall, which functions as a room-giving element.

Der zweigeschossige, zentrale Gemeinschaftsraum lebt von der formalen Spannung zwischen dem historisch belassenen Wohn-teil samt der großen alten Feuer-stelle und der Sichtbetonwand als raumschaffendem Element.

La salle commune s'étend sur deux niveaux et se nourrit du contraste produit entre l'ancien lieu de vie avec sa vieille et grande cheminée et le mur en béton apparent qui se veut générateur d'espace.

Holzmanufaktur

Kitchen Stuttgart

From a historical point of view, the kitchen is the oldest and most important room of the house. This complex center—where we work with food—deserves considerable attention. Concrete plays a supportive role in designing this kitchen; it is no longer limited to the universe of working surfaces. The Stuttgart kitchens by Holzmanufaktur are individually planned unique pieces designed and manufactured in Stuttgart. Specializing in massive wood furniture, this company stresses the importance of high-quality craftsmanship in the kitchen, and elsewhere. In the manufacturing process, a massive top layer of wood is used, such as plum tree or pear tree, which are 0.15 inches (4 mm) thick, and thus five times thicker than traditional veneers. The special concrete used is wet-polished and proofed for food-safety. An individual form for each kitchen is produced in accordance with the planned design, from which the working surface is then poured with high-grade steel reinforcement.

Stuttgarter Küche

Entwicklungsgeschichtlich ist die Küche der älteste und wichtigste Raum eines Hauses überhaupt. Viel Aufmerksamkeit gilt diesem komplexen Zentrum, in welchem wir mit Lebensmitteln hantieren. Weit über Arbeitsplatten hinaus spielt Beton somit – wortwörtlich – eine tragende Rolle in der Küchengestaltung. Die „Stuttgarter Küchen" der Holzmanufaktur sind individuell geplante Einzelstücke, die in Stuttgart geplant und gefertigt werden. Das auf Massivholzmöbel spezialisierte Unternehmen legt auch in der Küche größten Wert auf eine hochwertige handwerkliche Verarbeitung. Bei der Herstellung wird eine massive Deckschicht heimischer Holzfurniere, wie Zwetschge oder Birnbaum, verwendet, die mit vier Millimetern etwa fünfmal so dick ist wie herkömmliche Furniere. Der verwendete Spezialbeton ist nass poliert und lebensmittelecht imprägniert. Für jede Küche wird je nach Entwurf eine individuelle Form angefertigt, in welche dann die Arbeitsplatte mit Edelstahlarmierungen gegossen wird.

Cuisine « Stuttgart »

Historiquement, la cuisine est la pièce la plus ancienne et la plus importante d'une maison. Cet espace central et complexe où nous préparons nos repas fait l'objet d'une attention accrue. Le béton joue désormais un grand rôle dans l'aménagement des cuisines et son emploi ne se limite pas à la seule réalisation des plans de travail. Les cuisines exécutées par l'entreprise Holzmanufaktur sont des pièces uniques réalisées à la demande, conçues et produites à Stuttgart. Cette entreprise spécialisée dans la fabrication de meubles en bois massif fait également preuve dans la réalisation de ses cuisines d'un savoir-faire artisanal de grande qualité. Les placages en bois massif sont d'une épaisseur de quatre millimètres et cinq fois plus épais que les placages utilisés habituellement. Les bois utilisés, comme le prunier ou le poirier, proviennent de la région. Le béton est poli alors qu'il est encore humide et imperméabilisé de manière à ne présenter aucun danger pour les aliments. Le coffrage individuel à chaque cuisine est fabriqué en fonction de la configuration de la pièce et le plan de travail est réalisé avec une armature en acier.

Donald Judd

Chinati Foundation

In the middle of Texas, fifteen large concrete sculptures are spread across a free field over a mile long—remnants of a project from the 1980s. The concrete sculptures conclude in an increased, even monumental form which Judd previously realized with metal and wood boxes. The size and material of the boxes support Judd's intention to create a museum, wherein the works, once they had been placed in a particular spot, could no longer be subject to the whims of installations. The permanent installation is not only an alternative to the interim exhibition business of galleries and museums, but also a form of artistic concentration.

Chinati Stiftung

Mitten in Texas sind auf freiem Feld über eine Meile hinweg fünfzehn große Betonskulpturen verteilt, die in den achtziger Jahren als Teil einer Gesamtarbeit entstanden sind. Die Betonskulpturen führen in vergrößerter, wenn nicht gar monumentaler Form das weiter, was Judd zuvor an seinen Metall- und Holzboxen bereits umgesetzt hatte. Die Größe und das Material der Boxen unterstützen Judds Intention, ein Museum zu schaffen, an welchem die Werke, wenn sie einmal ihren Platz gefunden haben, nicht mehr wie beliebige Objekte unterschiedlichsten Inszenierungskapriolen unterworfen werden. So ist die Dauerinstallation nicht nur eine Alternative zum flüchtigen Ausstellungsgeschäft der Galerien und Museen, sondern auch eine Form der künstlerischen Konzentration.

Fondation Chinati

Au fin fond du Texas, sur une étendue de plus d'un *mile*, s'élèvent quinze sculptures de béton qui ont vu le jour dans les années 1980 et forment un des éléments d'une œuvre plus vaste. Ces sculptures sont une version plus grande voire monumentale des boîtes de métal et de bois qu'avait réalisées Donald Judd par le passé. Le matériau utilisé et la taille des boîtes mettent l'accent sur les intentions de l'artiste : créer un musée au sein duquel les œuvres ont une place fixée une fois pour toute et où les objets ne sont pas soumis aux aléas des diverses mises en scène. Ainsi, cette installation permanente ne propose pas seulement une alternative aux expositions éphémères des galeries et des musées, mais se veut également être l'expression de la concentration artistique.

On a former military field Donald Judd created a large, seemingly self-sufficient installation. Marfa not only represents a place of retreat, but also one he has found for himself and his works.

Donald Judd hat auf einem ehemaligen Militärgelände eine große, autark wirkende Anlage geschaffen. Marfa diente ihm nicht nur als Ort des Rückzugs sondern auch als Ort, den er für sich und seine Werke gefunden hat.

Donald Judd a créé sur une ancienne base militaire un complexe de grandes dimensions qui semble vivre en parfaite autarcie. Marfa n'était pas uniquement un lieu de refuge pour l'artiste mais un lieu choisi délibérément pour ses œuvres.

Möriken House

The building breaks out of the existing construction conventions along the service road. The square concrete shell is cut open on two opposing corners. The first cut facing the street is the entrance, the latter directed towards the river Bünz includes a view of the scenery and the castle, Schloss Wildegg. Depending on the light, the multilayered application of metallic-pigmented acrylic varnish radically changes the color and degree of shine. This increases the sculptural effect of the house, bestows the building with a certain sense of nobility and even temporarily unites the building with its natural surroundings. A plan of asphalt-like bands indicates the boundaries and links the building to the surrounding landscape. Much more than a mere house, the Möriken building is a sculpture, a small haven in the Bünz valley.

Haus Möriken

Das Gebäude bricht aus dem bestehenden Bebauungsmuster entlang der Erschließungsstraße aus. Die quaderförmige Betonschale ist an zwei sich gegenüberliegenden Ecken aufgeschnitten. Der Einschnitt zur Strasse markiert den Eingang, der Einschnitt zum Flüsschen Bünz umfasst den Ausblick in die Landschaft und auf das Schloss Wildegg. Der mehrschichtige Auftrag einer Acryllasur mit metallenen Pigmenten auf die Betonfassaden lässt diese, je nach Lichtverhältnis, in Farbigkeit und Glanzgrad stark changieren. Dies schärft das Skulpturale des Hauses, veredelt den Baukörper und vermag ihn zeitweise mit der Landschaft zu verbinden. Ein Raster aus asphaltähnlichen Bändern lotet die Grenzen des Areals aus und vermittelt zwischen der Landschaft und dem Gebäude. Das Gebäude ist mehr Skulptur als Haus – ein Kleinod im Bünztal.

Maison Möriken

L'édifice contraste avec les maisons qui s'élèvent le long de la voie desservant cette zone en construction. Le parallélépipède de béton est découpé à deux endroits de manière à former des angles droits concaves. L'ouverture qui donne sur la rue marque l'entrée, celle qui donne sur la rivière offre un panorama composé de la campagne environnante et du château de Wildegg. La façade de béton a été enduite de plusieurs couches d'un glacis acrylique à base de pigments de métal. Ce procédé est à l'origine d'effets de couleur et de brillance changeant au gré des variations de lumière. Il accentue l'aspect sculptural de la maison, anoblit le bâtiment et sert par moments de lien avec le paysage. Un quadrillage réalisé à partir de bandes d'asphalte délimite l'espace extérieur et se fait médiateur entre le paysage et l'édifice. Ce dernier est davantage une sculpture qu'une habitation : un joyau à Bünztal.

Kochi Architect's Studio

Hula Creative

Hula Creative is the renovation project of the same-named design office in Tokyo. The space was built thirty years ago by joining large building elements of concrete. The definitive factor of the renovation was the architect's rejection of completely finished rooms, as he finds finished inner rooms to be too sterile, conveying a sense of artificiality. For this reason, the original room was covered in exposed concrete with a transparent lace edge, which, in turn, was fixed with transparent colors. How much of the original space is covered varies from each part of the room. The architect applied the borders or created free areas himself. The result is an absolutely exceptional room with a highly individual sense of space—suitable for a young design agency.

Hula Creative

Bei Hula Creative handelt es sich um die Renovierung eines gleichnamigen Designbüros in Tokio. Der aus großen Bauteilen zusammengefügte Raum wurde vor 30 Jahren in Beton erstellt. Die Renovierung der Räume wurde durch die Ablehnung des Architekten gegenüber endgültig fertigen Räumen bestimmt. Komplett fertige Innenräume sind ihm zu steril und vermitteln ihm ein Gefühl von Künstlichkeit. Somit wurde der ursprüngliche Raum aus Sichtbeton mit durchscheinender Spitzenborte eingekleidet, wobei der Bortenstoff mit transparenten Farben fixiert wurde. Wie viel des ursprünglichen Raumes bedeckt wird, variiert von Raumteil zu Raumteil. Der Architekt trug schrittweise an Ort und Stelle die Bordüren auf oder schuf Freiflächen. Entstanden ist ein überaus ungewöhnlicher Raum, ein höchst individuelles Raumgefühl – angemessen für eine junge Designagentur.

Hula Creative

Hula Creative désigne le projet de rénovation d'un bureau de design du même nom qui se trouve à Tokyo. Cet espace de grandes dimensions a été réalisé en béton il y a trente ans. Les travaux de restauration des salles ont été influencés par la volonté de l'architecte de créer des espaces qui soient constamment en devenir. Les pièces « achevées » lui apparaissent trop stériles et artificielles. Aussi, les surfaces à l'origine en béton brut ont été habillées de dentelles qui sont fixées à l'aide de couleurs transparentes. La densité de cet habillage varie de pièce en pièce. L'architecte a appliqué minutieusement la dentelle sur certaines surfaces tandis que d'autres sont restées nues. L'espace ainsi créé étonne par son originalité et son individualité et cadre parfaitement avec la jeune agence de design qu'il accueille.

The recycled house

A typical "plattenbau" from Berlin-Marzahn was the basic material for the design of 'The recycled house.' It was conceived as a practice-oriented project for 'Future-oriented plans for plattenbau structures.' Ceilings and walls are from an old "plattenbau" apartment in Berlin-Marzahn. By building this test house, new findings were made on how to use the elements in the most cost-efficient manner. In all, the house measures 19.6 by 19.6 feet (six by six meters). The "plattenbau" palace consists of thirteen concrete slabs from a torn-down building from building series (WBS) 70. The "plattenbau" can be put to many uses; ceiling and walls are screwed together and can thus be easily assembled and disassembled. The recycled house is an experiment for the architects, and is ecological, economical and innovative.

Das recycelte Haus

Der typische Plattenbau aus Berlin-Marzahn bildet das Grundmaterial für den Entwurf „Das recycelte Haus". Es ist als praxisorientiertes Projekt „Zukunftsorientierter Umgang mit Plattenbaustrukturen" entstanden. Decken und Wände stammen aus einer alten Plattenbauwohnung in Marzahn. Durch den Bau eines Testhauses wurden Erkenntnisse gewonnen, wie sich die Elemente kostengünstig bearbeiten lassen. Sechs mal sechs Meter ist das Haus groß. Der Plattenpalast besteht aus dreizehn Betonplatten eines abgerissenen Hochhauses aus der Wohnungsbau-Serie (WBS) 70. Der Plattenbau erfüllt viele Zwecke, Wände und Decken sind miteinander verschraubt, das Haus kann jederzeit ab- und anderswo wieder aufgebaut werden. Das Recyclinghaus ist ein Experiment für die Architekten: ökologisch, billig, innovativ.

Maison en éléments recyclés

Les plaques de béton typiques des constructions de l'ancien Berlin-Est, ici le quartier de Berlin-Marzahn, forment le matériau de base de ce projet qui, orienté vers la pratique, a vu le jour sous l'intitulé « Quel avenir pour les structures en plaques de béton ? ». Plafonds et murs de cette demeure proviennent d'un ancien appartement de Berlin-Marzahn. Une maison « test » a été préalablement réalisée afin d'étudier la manière la plus économique de travailler avec le matériau. Les dimensions de la maison font 6 x 6 m. Le corps de la construction est composé de treize plaques de béton en provenance d'un immeuble rasé de la série (WBS) 70 et est fonctionnel. Murs et plafonds sont fixés les uns aux autres par un système de vis ; la maison peut-être démontée à tout moment et reconstruite ailleurs. Cette construction réalisée à partir d'éléments recyclés est un véritable objet expérimental pour les architectes : écologique, peu coûteux et innovant.

The slabs can be cut to size with
a concrete saw, as to obtain walls,
ceilings and angles.

Die Platten können mit einer
Betonsäge auf die gewünschte
Größe von Wänden, Decken und
Schrägen zugeschnitten werden.

Les plaques peuvent, à l'aide
d'une scie à béton, être découpées
selon la taille des murs, plafonds
et inclinaisons.

The plan for the prototype was
based on the original plan for the
plattenbauten.

Die Grundrisse des Testgebäu-
des orientierten sich am alten
Grundraster der Plattenbauten.

Les plans de la maison qui a servi
de test se réfèrent aux anciennes
constructions de plaques de béton.

kunze seeholzer architektur

St. Benedict Chapel

The classical image of a church and church tower has been used and given a contemporary twist. Wood and concrete are the main materials. Visitors first enter the church through the room-high entrance. While the cross initially captures the visitors' gaze, the focus later shifts towards the sky. Skylights encircle the room, letting the space appear to merge with the sky, while the ceiling seemingly floats, defying gravity. All transitions are smooth and peaceful—from inside to outside, heaven and earth. Flickering light, which transcends from above and changes in accordance with the time of day or the seasons, is the only true ornamental element. Above all, the materials highlight their original texture and haptics. The chapel's identity is defined by the interaction of contrasts: light and shadow, narrowness and width, massiveness and lightness, and inside and outside.

Kapelle St. Benedikt

Hier wird das klassische Bild einer Kirche mit Kirchturm aufgenommen und zeitgenössisch neu interpretiert. Die Gestalt gebenden Materialien sind Beton und Holz. Durch das raumhohe Portal betritt der Besucher das Innere. Der Blick konzentriert sich so zunächst auf das Kreuz und richtet sich dann mit fortschreitendem Eintreten himmelwärts. Durch umlaufende Oberlichter löst sich der Raum nach oben hin auf, die Decke scheint zu schweben. Der Übergang zwischen Innen und Außen, Himmel und Erde ist fließend. Das Spiel des Lichts, das von oben im Wechsel der Tages- und Jahreszeiten den Raum durchdringt, ist das einzige, wahre Ornament. Die Materialien wirken durch ihre ursprüngliche Textur und Haptik. Die Kapelle ist geprägt durch das Zusammenspiel von Licht und Schatten, Enge und Weite, Massivität und Leichtigkeit, Innen und Außen.

Chapelle Saint-Benoît

L'image classique de l'église avec son clocher est reprise ici pour être interprétée de manière contemporaine. Les matériaux qui donnent corps à cet ensemble sont le béton et le bois. Le visiteur accède à la chapelle par un portail dont la hauteur est identique à celle de la pièce. L'attention se porte d'abord sur la croix puis, en s'avançant, c'est en direction du ciel que l'on regarde. Une source de lumière zénithale suit le tracé de la pièce et donne une impression d'ouverture de l'espace vers le haut. Le plafond semble flotter. Les transitions entre extérieur et intérieur, Terre et Ciel sont à peine perceptibles. Les jeux de lumière changeants selon l'heure et les saisons sont les seuls véritables ornements. On a mis l'accent sur la texture d'origine des matériaux utilisés. La chapelle est caractérisée par un jeu d'éléments contraires, tels l'ombre et la lumière, le vaste et l'étroit, l'imposant et le léger, l'intérieur et l'extérieur.

LEICHT AG

Kitchen Esprit

When materials speak for themselves, it is possible to completely forsake all decorative elements. Working surfaces, walls and subfloors are made out of concrete and represent a closed body, which opens towards the dining area in the back and consists of cupboards to the front. Airiness, friendliness and a certain degree of understatement radiates from this natural and expressive concrete material. The polished concrete surface possesses exceptionally pleasant haptics. Natural patina, which increases over time, is one of concrete's desired and indispensable characteristics. When combined with wood and mirror finish surfaces in interior design, concrete—the most important architectural material of modern times—develops its natural, purist and at times even morbid character.

Küche Esprit

Wo die Materialien für sich sprechen, kann auf dekorative Elemente vollständig verzichtet werden. Arbeitsplatte, Wangen und Unterboden sind aus Beton gestaltet und bilden einen geschlossenen Korpus, der sich auf der Rückseite zum Essbereich öffnet und in den auf der Vorderseite die Schänke integriert sind. Helligkeit, Freundlichkeit und ein gewisses Understatement strahlt der natürliche und ausdrucksstarke Betonwerkstoff aus. Die geschliffene Beton-Oberfläche hat eine besonders angenehme Haptik. Die natürliche Patina, die sich im Laufe der Zeit verstärkt, ist gewollt und ein unverzichtbares, typisches Charakteristikum des Betons. Vor allem in der Kombination mit Holz und eleganten Hochglanzfronten entwickelt der wichtigste Architektur-Werkstoff der Moderne auch im Innenraum seinen natürlichen, puristischen bis morbiden Charakter.

Cuisine « Esprit »

Lorsque les matériaux utilisés sont d'une grande esthétique, on peut faire abstraction d'éléments ornementaux. Le plan de travail, ses assises ainsi que son socle sont en béton et forment un élément autonome qui d'un côté donne sur l'espace salle à manger pour devenir, de l'autre, un meuble de rangements. L'aspect naturel et esthétique du matériau dispense chaleur et luminosité, et une élégance discrète. Les surfaces de béton poli sont particulièrement agréables au toucher. La patine naturelle qui s'accentue avec le temps est un effet voulu ainsi qu'un élément caractéristique et incontournable du béton. Ce matériau, qui dans l'architecture est le plus important en termes de modernité, déploie aussi dans les espaces intérieurs, en association avec le bois et d'élégantes surfaces vernies, son caractère naturel, sobre jusqu'au dépouillement.

LiTraCon

Light-transmitting concrete

Several years ago, a simple observation provoked the Hungarian architect Áron Losonczi to contemplate the interaction of light and concrete. He invented LiTraCon—Light Transmitting Concrete. The ingredients are ninety-five parts of cement to five parts of optical fibers. Concrete and fibers are layered alternately, similar to the process of making lasagna. The result is a product that is of equal quality to the original materials: Spaces are changed, feelings redefined. The static possibilities of concrete and the flexibility of the glass fibers have been kept. Experimentation has moved to trial. The first step has been taken towards building materials of the future—intelligent concrete.

Lichtdurchlässiger Beton

Eine eher zufällige Beobachtung regte den ungarischen Architekten Áron Losonczi vor einigen Jahren an, über das Zusammenspiel von Licht und Beton nachzudenken. Er erfand LiTraCon – Light Transmitting Concrete. Die Zutaten sind 95 Teile Zement und 5 Teile optische Fasern. Fast wie bei einer Lasagne werden hier Beton und Fasern übereinander geschichtet. Was dabei herauskommt, ist ein Produkt, das in seinen Eigenschaften den ursprünglichen Materialien in nichts nachsteht. Räume werden sich verändern, Empfindungen neu definiert. Die statischen Möglichkeiten des Betons und auch die Flexibilität der Glasfasern bleiben im selben Maß erhalten. Derzeit wird das Experimentierstadium verlassen. Der erste Schritt zum Baumaterial der Zukunft – zum intelligenten Beton – ist getan.

Effets de transparence

Une observation faite tout à fait par hasard il y a quelques années a conduit l'architecte hongrois Áron Losonczi à réfléchir sur le rapport entre lumière et béton. C'est ainsi qu'il créa LiTraCon – Light Transmitting Concrete ou béton laissant passer la lumière. Ce béton se compose de 95 éléments en ciment et de 5 éléments en fibres optiques. Le processus de fabrication s'apparente à celui de la confection de lasagnes : on superpose des couches de béton et de fibres. Les propriétés du matériau final n'ont rien à envier à celles des matériaux de départ. Les espaces se transforment, les sensations sont nouvelles. Les propriétés statiques du béton et la flexibilité de la fibre de verre sont entièrement conservées. Aussi ce procédé de fabrication est-il en train de passer du stade de l'expérimentation à celui d'une production à plus grande échelle, premier pas vers un matériau de construction d'avenir, vers un béton « intelligent ».

The serial production of concrete elements has begun; the first design object, the LTC lamp, has been produced. Even though the projects tend to be small dimension-wise, they demonstrate the enormous potential of this material.

Die Serienfertigung der Beton-teile hat begonnen. Auch das erste Designobjekt, die LTC Lampe, konnte realisiert werden. Obwohl die Projekte in ihren Dimensio-nen eher klein ausfallen, zeigen sie dennoch das Potential, das in diesem Material steckt.

La production en série de ce béton vient de commencer. Le premier objet de design, la lampe LTC, a vu le jour. Même si les ouvrages réali-sés à partir de ce matériau restent de modestes dimensions, ces derniers sont la preuve tangible du potentiel de ce matériau.

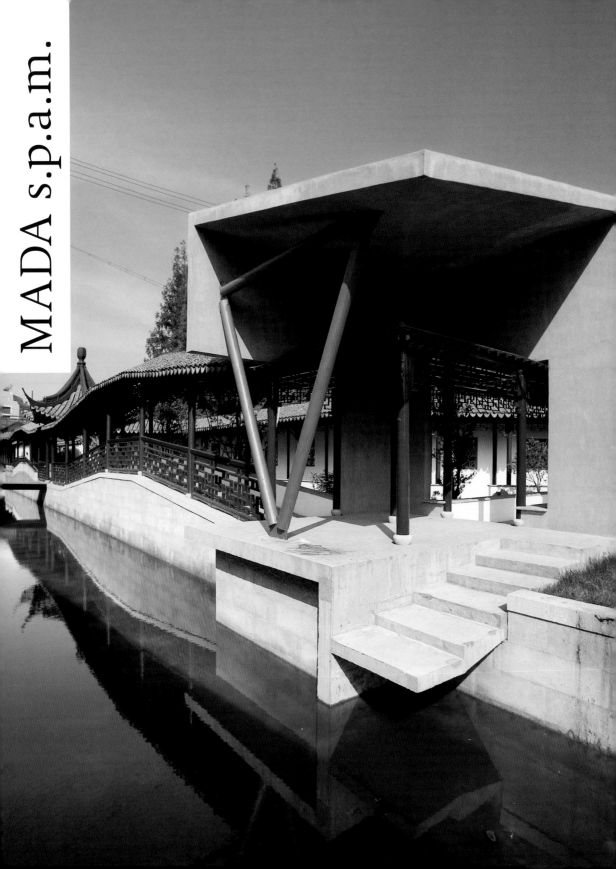

MADA s.p.a.m.

Qushui Park

These architects' creative concept is based on the conversion of the garden estate, using a radical symbiosis of historical temple elements and a modern architectural language. Historical building references are combined with actual materials and dashingly contrasted with each other. An expressively folded exposed concrete wall represents the extension of a traditional promenade. The daring concrete roof covers the historical wooden construction. Breaking ties with tradition and materials is seen here as a symbolic expression of harmony, balancing the old and the new.

Qushui Park

Das gestalterische Konzept der Architekten beruht bei der Umgestaltung der Gartenanlage auf einer radikalen Symbiose historischer Tempelelemente mit einer modernen Architektursprache. Historische Konstruktionszitate werden mit aktuellen Materialien aufgegriffen und in einen spannungsvollen Kontrast zueinander gesetzt. Eine expressiv gefaltete Sichtbetonwand bildet die Verlängerung eines traditionellen Wandelganges. Das kühne Betondach überspannt die historischen Holzbauten. Der Bruch mit Traditionen und Materialien offenbart sich hier als symbolischer Ausdruck der Verbindung – und Gegensätzlichkeit – von Altem und Neuem.

Parc Qushui

Les architectes chargés du réaménagement de ce jardin ont opté pour une symbiose radicale entre des éléments architecturaux historiques – les temples – et des éléments modernes. Des matériaux contemporains viennent se greffer à d'anciennes constructions, formant un contraste étonnant. Un mur en béton apparent se déploie de manière expressive autour d'une traditionnelle promenade. Le toit en béton surplombe audacieusement les constructions historiques en bois. Le contraste entre les traditions et les matériaux a ici valeur de symbole. Il s'agit de mettre l'accent sur l'union – et sur l'opposition – entre l'ancien et le nouveau.

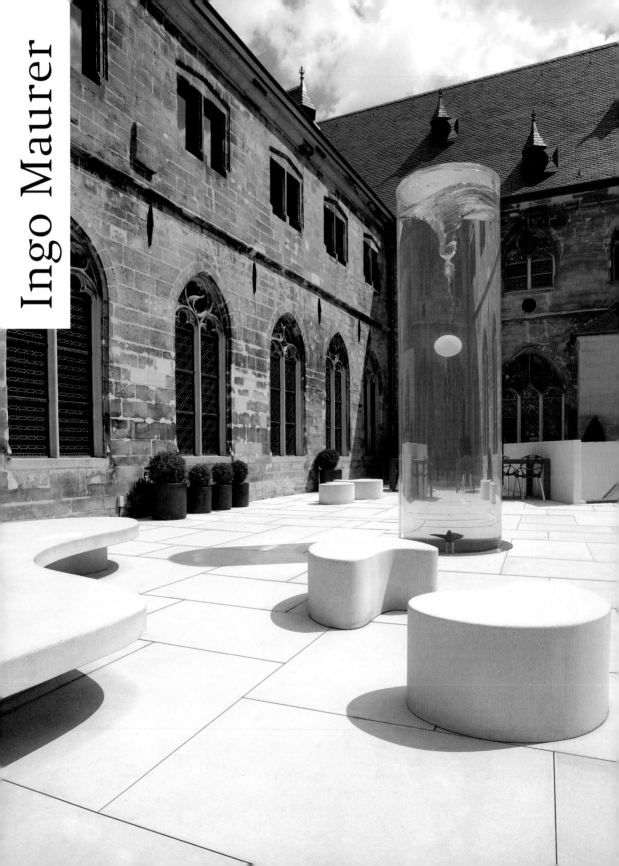

Ingo Maurer

Inner courtyard of the Kruisheren Hotel

After an eventful history as a monastery, a weapons stockpile and a laboratory, the Kruisheren monastery in Maastricht is now a five star design hotel. The renovated unit testifies to the creative talents of renowned architects. Interior architect Henk Vos and Ingo Maurer developed an architectural language, which cleverly merges contemporary and traditional elements. The inner courtyard exemplifies the contrast between the different building styles. Late gothic tracery windows are combined with high-tech concrete construction elements and poetic lighting objects. The designers' high standards for construction and design become apparent in the attention paid to details. Ingo Maurer chose massive concrete building elements out of self-compacting concrete to stabilize and furnish the construction. This is the basic material for the large-sized concrete sheets as well as for the amorphous shaped seating furniture made from exposed concrete—they seem to float between the sky and the ground.

Innenhof Kruisherenhotel

Nach einer wechselvollen Geschichte als Gotteshaus, Waffen-arsenal und Laboratorium präsentiert sich das Kruisherenkloster heute als Fünf-Sterne-Designhotel. Das sanierte Ensemble trägt die Handschrift renommierter Gestalter. Innenarchitekt Henk Vos und Ingo Maurer entwickelten eine Architektursprache, die Tradition und Moderne gekonnt vereint. Der Kontrast zwischen den Baustilen bildet sich im Innenhof beispielhaft ab. Spät-gotische Maßwerkfenster treffen auf High-Tech-Betonbauteile und Lichtobjekte voller Poesie. Der Gestaltungsanspruch des Designers zeigt sich gerade auch im Detail. Ingo Maurer wählte für die Befestigung und Möblierung des Platzgevierts massive Bauteile aus selbstverdichtendem Beton. Dies bildet den Grundstoff für die großformatigen Platten wie auch für die amorph geformten Sicht-beton-Sitzmöbel, die zwischen Himmel und Erde zu schweben scheinen.

Cour intérieure de l'hôtel Kruisheren

Après une histoire mouvementée qui a successivement transformé le cloître de Kruisheren en arsenal militaire et en laboratoire, ce dernier abrite aujourd'hui un hôtel cinq étoiles design. L'ensemble porte la signature d'architectes renommés. Spécialistes en architecture d'intérieur, Henk Vos et Ingo Maurer ont élaboré un langage architectural qui réunit avec succès tradition et modernité. La cour intérieure est un élément caractéristique de ce contraste des styles. Des éléments de béton high-tech et des installations lumineuses s'élèvent devant des façades composées de fenêtres aux entrelacements caractéristiques du gothique tardif. Le souci d'esthétisme des designers est d'une grande minutie. Ingo Maurer a choisi pour les travaux de pavement du patio comme pour sa décoration des éléments massifs réalisés en béton compact. Ce dernier sert d'élément de base à la fabrication des grandes dalles qui habillent les sols et à celle des bancs en béton apparent qui, avec leurs formes fluides, semblent flotter entre terre et ciel.

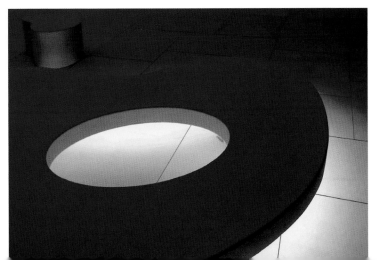

meck architekten

Parsonage and Youth Center

The new parsonage reflects its importance as a defining and meaningful religious institution. Both in form and material, sobriety is the common factor. Poured entirely out of concrete, it remains neutral and testifies to its date of creation. Color and ornamental elements are for the church only. The area between the two unifies the parsonage and the church. The parsonage and the foyer face the church entirely, thus enabling the church façade to function as a boundary. In turn, the parish hall is given a certain sense of spaciousness, sense and belonging. The building's interior has oak wood facing; the dark floor is poured out of concrete. By facing the walls with bound willows, the general atmosphere is warm and appeals to all senses.

Pfarr- und Jugendheim

Das neue Pfarrheim respektiert in seiner Situierung die Bedeutung der Kirche als sinnstiftendes und prägendes Gebäude. Es zeichnet sich durch seine Bescheidenheit in Form und Material aus. Es ist ganz aus Beton gegossen, sachlich und leugnet seine Entstehungszeit nicht. Farbe und Ornament überlässt es der Kirche. Zwischen Pfarrheim und Kirche spannt sich ein Platz, der die beiden Gebäude zu einem Ensemble verbindet. Pfarrsaal und Foyer öffnen sich in ihrer ganzen Breite zur Kirche. Die Kirchenfassade wird damit zur Begrenzung des Raumes. Sie gibt dem Pfarrsaal Weite, Sinn und Zugehörigkeit. Im Innern ist das Gebäude mit Eichenholz ausgekleidet, der dunkle Fußboden ist aus Beton gegossen. Die Verkleidung der Wände mit einem Geflecht aus Weiden verleiht dem Raum eine sinnliche und warme Atmosphäre.

Maison paroissiale

Cette maison paroissiale de construction récente est respectueuse de l'église qu'elle jouxte et dont elle forme l'annexe. La forme et le matériau choisis pour l'édifice sont saisissants de discrétion. L'architecture sobre de cette maison en béton ne dissimule pas sa date de construction. Couleurs et ornements sont réservés à l'église. Entre l'église et la maison paroissiale s'étend une place qui sert de trait d'union entre les deux bâtiments. La salle paroissiale et le hall d'entrée donnent sur toute leur largeur sur l'église. C'est la façade de l'église qui sert de limite à cet espace et qui lui donne ses dimensions, son sens et son appartenance. Murs et plafonds sont habillés de chêne ; les sols sombres sont en béton. Le tressage en osier qui recouvre certains murs à l'intérieur confère chaleur et convivialité.

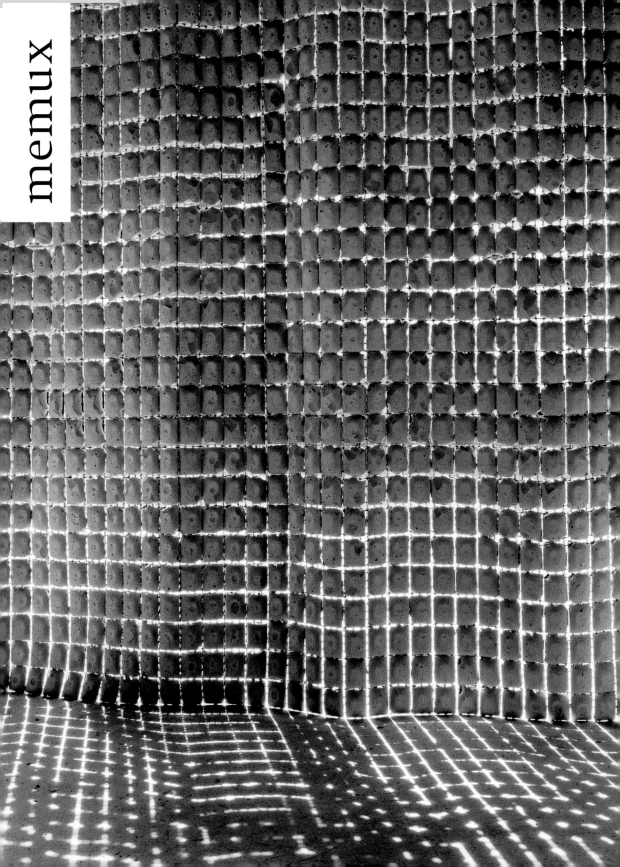

memux

Concrete curtain

Two elements are combined in this exceptional object, which at first glance, do not seem to fit together at all: hard, solid concrete and soft, flexible fabric. With the help of a malleable, lightproof geo-textile as the supporting material and individual pillow-like bodies out of concrete, the designers created this concrete curtain. The effect is both two-dimensional and far-reaching. An exceptional design, suitable for both indoor and outdoor use, this concrete curtain breaks light on the fracture corners and allows movement creating musical sounds. Thanks to the material properties, the chosen structure and the craftsmanship, the curtain offers protection from the sun, wind or light. In addition, it stores heat, can be used as a façade element or as a room divider.

Betonvorhang

Bei diesem außergewöhnlichen Objekt werden zwei Dinge miteinander kombiniert, die augenscheinlich nicht zusammen passen: Harter, unbiegsamer Beton und weiches, flexibles Textil. Die Designer gestalteten mit Hilfe eines biegsamen, lichtechten Geotextils als Trägermaterial und kissenartigen Einzelkörpern aus Beton den „Betonvorhang". Seine Wirkung ist zweidimensional und raumgreifend zugleich. Die Lichtbrechung an den Bruchkanten, die träge Bewegung im Wind und daraus resultierenden Geräusche machen ihn zu einem besonderen Gestaltungselement, dessen Einsatzmöglichkeiten im Innen- wie im Außenbereich liegen. Aufgrund der Materialeigenschaften, der gewählten Struktur und Verarbeitung kann der Vorhang Sonnen-, Wind- oder Sichtschutz, Wärmespeicher- oder Fassadenelement, ebenso wie Raumteiler sein.

Rideau de béton

Cet objet spectaculaire associe deux éléments que tout oppose à première vue : du béton dur et rigide et la souplesse et flexibilité du tissu. Les designers ont créé le « rideau de béton » à partir d'une structure en géotextile souple laissant passer la lumière et de petits coussinets en béton. Le résultat est un élément bidimensionnel qui cependant s'inscrit dans l'espace à la manière d'un volume. La lumière qui s'infiltre entre les coussinets, les ondulations sous l'effet du vent et les sonorités qui en résultent font de ce rideau un ornement singulier qui peut trouver place aussi bien à l'intérieur de la maison que dans ses espaces extérieurs. En raison des propriétés des matériaux choisis et de la manière dont ils ont été travaillés, ce rideau peut protéger du soleil, du vent et des regards, servir de paroi, d'élément de conservation de la chaleur et de paravent séparant une pièce en deux.

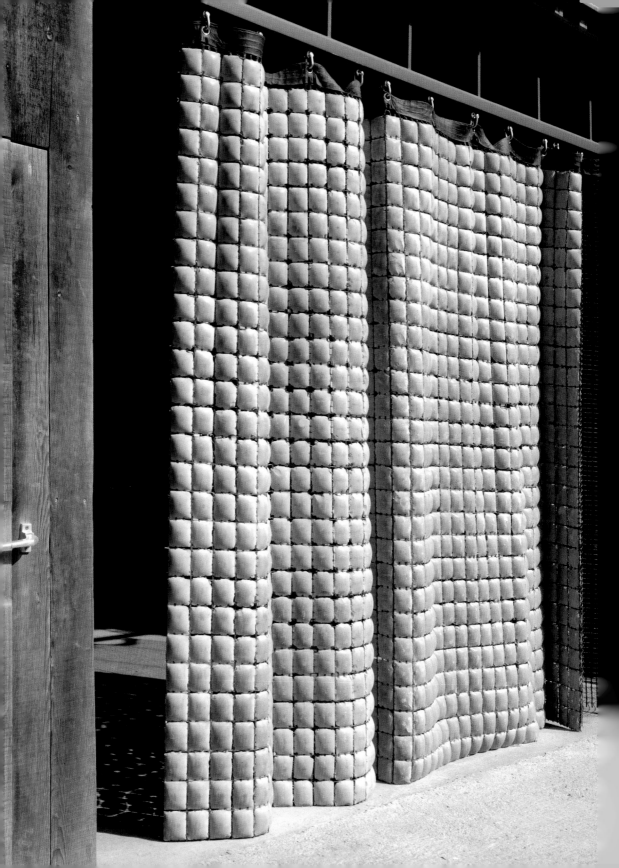

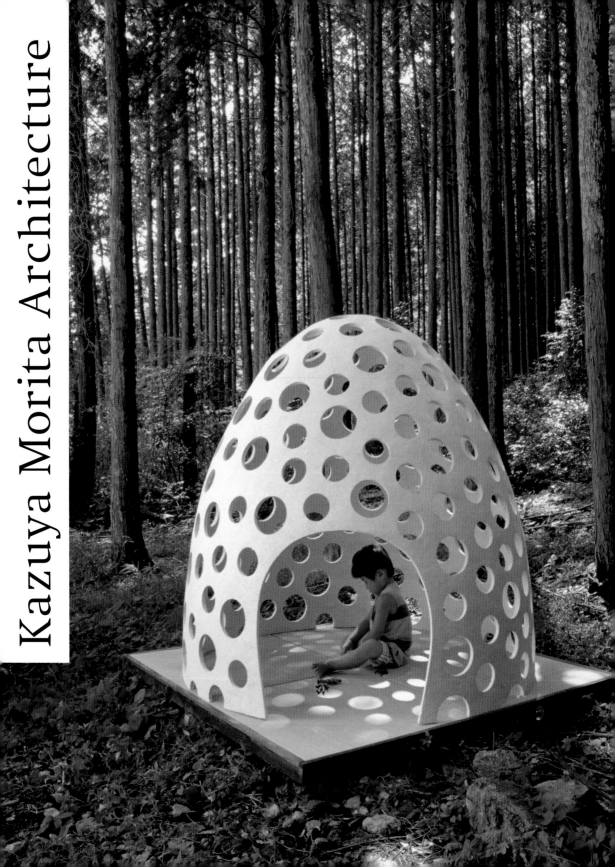

Kazuya Morita Architecture

Concrete Egg

Seen from a static point of view, an egg has exceptional characteristics: because of its shape and despite its thin and fragile shell, it is extremely stable. Japanese architect Kazuya Morita used these advantages for his concrete-pod. The result is a small, delicate construction. In order to reach the same proportions as those found in nature, a concrete reinforced with glass fibers was used. This enabled the architect to ensure the shell was only 0.5 inches (15 mm) thick, yet could carry the weight of an adult. Height and diameter of the construction measure around 5.5 feet (1.7 m). Thanks to the many openings, visitors can enjoy nature, all the while protected by the elegant shell of the concrete-pod. The interaction of inside and outside, light and shadow is a welcome invitation to relax.

Betonei

Statisch gesehen hat ein Ei hervorragende Eigenschaften: die Schale dünn und zerbrechlich, aber dank seiner Form ausgesprochen stabil. Diese Vorzüge hat der japanische Architekt Kazuya Morita für seinen „concrete-pod" zur Vorlage genommen. Herausgekommen ist ein kleines, filigranes Bauwerk. Um die der Natur entlehnten Proportionen zu erreichen, wurde ein glasfaserverstärkter Beton verwandt, der es erlaubte die Hülle lediglich 15 Millimeter dünn auszuführen und dennoch das Gewicht eines Erwachsenen auszuhalten. Höhe und Radius liegen bei 1,7 Metern. Dank der vielen Öffnungen kann man, beschützt durch die grazile Hülle, im „concrete-pod" die Natur erleben. Das Spiel zwischen Innen und Außen, Licht und Schatten lädt zur Entspannung und Ruhe ein.

Œuf de béton

Un œuf possède de grandes propriétés statiques : la coquille est mince et fragile mais de forme extrêmement stable. L'architecte japonais Kazuya Morita s'est appuyé sur ces caractéristiques pour créer le « concrete-pod », l'œuf de béton. L'ouvrage final est un objet de petite taille, très travaillé. Afin d'être au plus près des proportions d'un œuf, on a utilisé un béton renforcé de fibres de verre qui a permis de construire une coque de seulement 15 mm pouvant cependant accueillir un adulte en son sein. La hauteur et le rayon sont de 1,7 m. Grâce aux nombreux orifices qui décorent la paroi de la coque, on peut admirer la nature tout en étant protégé. Les interactions ludiques entre intérieur et extérieur et les effets d'ombre et de lumière invitent au calme et à la détente.

Differently large openings create an airy and elegant impression.

Unterschiedlich große Öffnungen verleihen dem Gebäude eine lichte und leichte Anmutung.

Les orifices sont de différentes tailles et donnent à l'ouvrage légèreté et luminosité.

A perforated Styrofoam—form with ring-shaped notches was covered in a traditional Japanese plasterer with fiber cement.

Eine perforierte Styropor-Form mit ringförmigen Aussparungen wurde von einem traditionellen japanischen Gipser mit dem Faser-zement verkleidet.

Une forme en styropore perforée de plusieurs orifices a été habillée de ciment à fibres par un plâtrier japonais au savoir-faire tradition-nel.

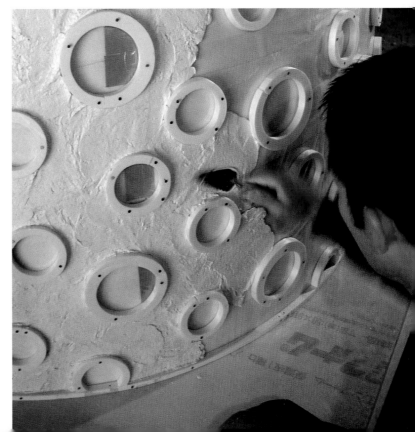

muf architecture/art

St. Albans Pavilion

This pavilion was designed as a freestanding building within a park landscape. The façade was achieved with precast concrete units only, which were specially made for this project. The planners mixed various seashells in the concrete, which now are visible ornamentation of the wall slabs and which give the building its own independent style. High open rooms and the window and skylight openings highlight the fine tension between narrowness and spaciousness, awakening inspiration. Due to their neutral character, the visible gray concrete surfaces create a suitable atmosphere for various events. While the finished parts in the inside of the building correspond with the usual optics, the concrete elements of the outer facades are initially irritating: Are they finished products? Is it concrete?

St. Albans Pavillon

Der Pavillon ist als freistehendes Gebäude innerhalb einer Parklandschaft ausgebildet. Die Fassade wurde nur mit Betonfertigteilen ausgeführt, welche speziell für dieses Bauvorhaben entwickelt wurden. So mischten die Planer dem Beton verschiedenste Muschelgehäuse unter, die so als ständig sichtbares Zierrat die Wandplatten prägen und dem Gebäude einen ganz eigenständigen Stil verleihen. Im Innern wird das Spiel von Enge und Weite, bedingt durch den hohen offenen Raum und die Seh- und Lichtöffnungen zur anregenden Inspiration. Die sichtbaren, grauen Betonflächen ermöglichen wegen ihres neutralen Charakters ein für viele Anlässe gleichermaßen angemessenes Ambiente. Während die Fertigteile im Inneren des Gebäudes der gewohnten Optik entsprechen, wirken die Betonelemente der äußeren Fassaden zunächst irritierend: Sind es Fertigteile? Ist es Beton?

Pavillon Saint-Alban

Le pavillon est un ensemble qui s'élève de manière autonome à l'intérieur d'un parc. La façade est réalisée à partir d'éléments de béton fabriqués spécialement pour cet ouvrage. Les concepteurs ont mélangé le béton avec des coquillages très différents. Ces derniers sont des éléments apparents qui ornent les plaques de béton et donnent à l'ensemble un style qui lui est propre. À l'intérieur, le jeu entre les espaces vastes et exigus résultant de la hauteur de la pièce et des ouvertures, fenêtres ou simples foyers de lumière, est source d'inspiration. Les surfaces en béton apparent gris donnent à cet espace un caractère assez neutre pour être utilisé à des fins diverses. Les plaques de béton qui habillent l'intérieur de l'édifice ne surprennent pas tandis que celles de la façade interpellent : est-ce vraiment du béton ?

NIO Architecten

Touch of Evil

"Touch of Evil" is actually a normal steel concrete bridge. Yet, when taking a closer look, the unique characteristics of this bridge become apparent. From the side of the road, the delicate steel concrete construction appears to twist and throws folds on the walls as if defending itself against the all too light and seemingly common bridge construction. The chosen form, the visual deformation and the bright red surface take the usual perception of a bridge, twist it and put it in the unexpected context of color, art and the concrete superstructure.

Touch of Evil

„Touch of Evil" ist im eigentlichen Sinne eine normale Stahlbetonbrücke. Das besondere an der Brücke entfaltet sich sprichwörtlich bei näherer Betrachtung. Beginnend an einer Straßenseite scheint sich die filigrane Stahlbetonkonstruktion zu winden, zu stauchen und wirft an den Wänden Falten, als wehrte sie sich gegen das allzu leicht und gewöhnlich wirkende Brückenbauwerk. Mit der gewählten Form, der augenfälligen Verformung und ihrer leuchtend roten Oberfläche wird das gewohnte Brückenbild in beeindruckender Weise auf den Kopf gestellt und in ein ungewöhnliches Verhältnis von Farbe, Kunst am Bau und Betonüberbau gesetzt.

Touch of Evil

« Touch of Evil » est à première vue un simple pont en béton armé. La particularité de ce pont ne se dévoile qu'après une observation minutieuse. D'un côté de la rue, cet ouvrage travaillé de béton et d'acier semble se mouvoir, se rétrécir et vouloir froisser les murs comme s'il se rebellait contre la technique habituelle de construction des ponts. La forme retenue par les architectes, une distorsion discernable, des surfaces d'un rouge éclatant et l'emploi particulier du béton, ainsi que la singularité du rapport entre l'art, la couleur et la construction elle-même font de ce pont un ouvrage architectural insolite.

RaiserLopesDesigners

B House

What makes the conversion of this Cologne (Germany) house unique is the towering glass box, which rests on a supportive steel structure and which enabled the architect to test the "competence of the house and its diversity." The tub was specifically designed for this building project, poured out of black concrete in cut stone quality and subsequently polished. The architects ensured the washing table and bathtub were of the same quality and understood as simple building elements. No designer pieces were to be used. In all, the house contains four bathrooms, which contain typologically similar concrete-poured sinks and tubs in various gray tones. The largest and most dominant elements were placed in the master bathroom.

Haus B

Der Clou des Hausumbaus in Köln ist die auf einem stählernen Tragesystem ruhende und überragende Glasbox, mit welcher der Architekt die „Kompetenz des Hauses und seine Vielfältigkeit" ausreizen konnte. Die Wanne wurde speziell für dieses Wohnhausprojekt entworfen, aus schwarzem Beton in Werksteinqualität gegossen und geschliffen. Die Architekten wollten Waschtisch und Badewanne aus derselben Qualität und als schlichte Bauteile verstanden wissen. Es sollten keine Designerstücke Verwendung finden. Im Hause befinden sich insgesamt vier Bäder, in denen sich allesamt typologisch ähnliche und in ihrer Farbbestimmung in Grautönen gegossene Becken und Wannen befinden. Im Elternbad wurden dann die dominantesten und größten Elemente verbaut.

Maison B

L'originalité de cet édifice rénové à Cologne réside dans un parallélépipède en verre reposant sur une structure en acier : pour l'architecte, l'expression des « qualités de la maison et de sa diversité ». La baignoire a été spécialement exécutée pour ce projet architectural. Elle est réalisée en béton noir de grande qualité puis poncée. Les architectes ont choisi une vasque et une baignoire de même qualité et de forme sobre. Ils ont exclu tout usage d'objets de design dans la décoration. La demeure comprend quatre salles de bains dans lesquelles on retrouve des vasques et des baignoires en béton semblables tant dans leurs formes que dans la palette des gris utilisés. Les éléments les plus imposants se trouvent dans la salle de bains des parents.

All bathroom furnishing are constructed in a typologically similar fashion and consist of poured concrete in various gray tones.

Alle im Haus befindlichen Sanitärmöbel sind durch eine typologisch und in ihrer Farbbestimmung ähnliche, in Grautönen gegossene Art ausgeführt.

Tous les éléments de salle de bains de cette demeure sont semblables tant au niveau de la forme que dans les tons de gris utilisés.

The tub was specifically designed for this building project, poured out of black concrete in cut stone quality and subsequently polished.

Die Wanne wurde speziell für dieses Wohnhausprojekt entworfen, aus schwarzem Beton in Werksteinqualität gegossen und geschliffen.

La baignoire a été spécialement exécutée pour ce projet architectural. Elle est réalisée en béton noir de grande qualité et poncée.

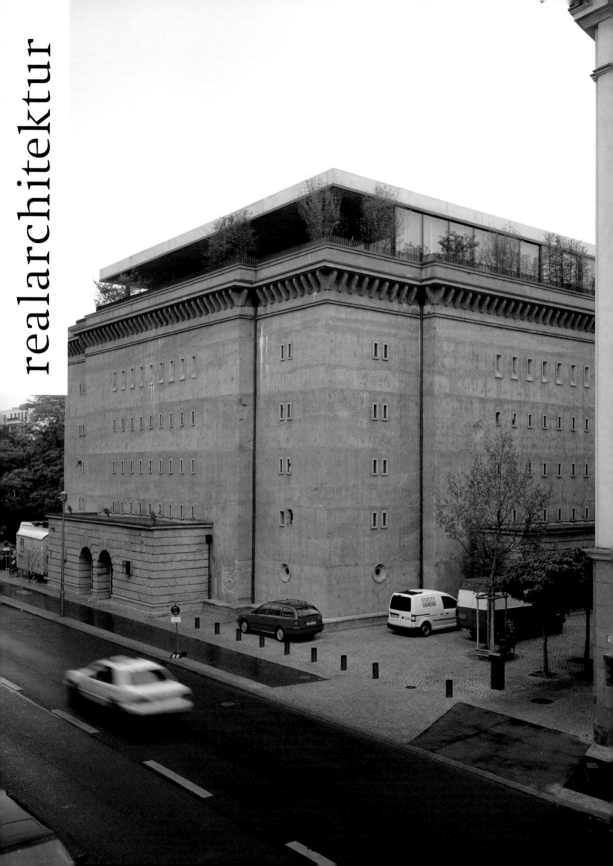

realarchitektur

Bunker / Boros Collection

This building is the only remaining bunker from the Second World War in the inner city of Berlin. For years, the biggest, most legendary techno parties took place here, despite their semi-illegal status. Spread out over 6890 square feet (2100 square meters) and distributed over five floors, a space for art and living was subsequently created. The private Penthouse has a total of 1541 square feet (470 square meters), while the terraces and gardens on the roof measure 1214 square feet (370 square meters). In all, 1640 square feet (500 square meters) were cut out of the concrete ceilings, thus creating huge rooms with high ceilings. Nonetheless, the visitor never feels lost. By keeping the intermediary ceilings and walls open, visual axes of up to 23 feet (7 m) of already visited rooms remain visible, only to disappear, once a hallway is taken. This jumble of countless stairwells, hallways and rooms merged together results in a sense of vertigo and a lack of orientation.

Bunker / Sammlung Boros

Der Bau ist der einzige, noch erhaltene Bunker aus dem Zweiten Weltkrieg in der Berliner Innenstadt. Jahrelang fanden hier die härtesten Techno-Partys statt, halblegal, aber legendär. Nun wurde auf 2100 Quadratmeter, verteilt über fünf Etagen, Platz für Kunst und Wohnen geschaffen. Dass private Penthouse kommt auf 470 Quadratmeter, 370 Quadratmeter messen Terrassen und Gärten auf dem Dach. Alleine dafür wurden etwa 500 Quadratmeter Betondecken herausgeschlagen. Geschaffen wurden riesige Räume mit hohen Decken, in denen sich der Mensch trotzdem nicht verloren fühlt. Durch Entfernung von Zwischendecken und Wänden, entstehen Sichtachsen auf bereits durchschrittene Räume von bis zu sieben Metern Höhe, nur um einen Gang weiter wieder versperrt zu werden. Ein Gewirr aus unzähligen, ineinander verschränkten Treppenhäusern, Gängen und Räumen macht orientierungslos und schwindelig.

Bunker / collection Boros

Cette construction datant de la Seconde Guerre mondiale est le dernier bunker du centre-ville de Berlin. Il a été pendant des années le lieu où se sont déroulées dans une semi-légalité de légendaires fêtes techno. Aujourd'hui, il abrite sur cinq étages et 2 100 m² des espaces réservés à l'art et des appartements. L'appartement sur le toit fait 470 m² ; les terrasses et les jardins qui l'entourent ont une superficie de 370 m². Pour ce faire, on a réalisé pas moins de 500 m² de plafonds en béton. L'ensemble se compose de pièces immenses avec des hauts plafonds et pourtant le visiteur ne s'y sent pas perdu. La disparition d'anciens faux plafonds et de murs a donné le jour à des axes qui laissent entrevoir les pièces qui viennent d'être traversées et dont la hauteur peut s'élever jusqu'à sept mètres, ce juste avant de se refermer à la vue au bout du prochain couloir. Un labyrinthe composé d'innombrables escaliers qui s'entrecroisent, de couloirs et de pièces désoriente et donne le vertige.

Broken colors are prevalent, which, in turn, cause movement and tension. Just like the small still life with bureau and the seating arrangement—everything stands in perfect proportion to the surroundings.

Hier regieren gebrochene Farben, die Bewegung und Spannung erzeugen. So wie das kleine Stillleben mit dem Sekretär und der Liege – alles soll im perfekten Verhältnis stehen.

Des couleurs fragmentées donnent mouvement et tension au décor. La « nature morte » composée du secrétaire et de la couche en témoigne : ici, règne un accord parfait entre les éléments.

Because of the original use as a bunker, the inner rooms always convey a somewhat archaic sense of space.

In den Innenräumen bleibt angesichts seiner ursprünglichen Nutzung als Bunker immer ein archaisches Raumgefühl bestehen.

Dans les espaces intérieurs, une impression d'archaïsme demeure, héritée de la fonction première de l'édifice qui était à l'origine un bunker.

H.O.M.E. trade fair stand

H.O.M.E.-Depot has evolved into Austria's most exciting and most successful design furniture fair. In order to live up to visitors' expectations, and also those of the brand, a H.O.M.E.-Lounge with fibreC—glass fiber concrete was specifically designed and constructed. The bar winds artistically through the entire lounge, ending energetically at the ceiling. This was possible because concrete skin glides smoothly around corners, and is capable of being used in the inner space of a room. The universal use of application on floors, walls and ceilings dissolves traditional spatial boundaries and thus creates an exceptional flow of material. Inside and outside melt into each other. Simultaneously modern and purist, the material penetrates in inner spaces and, through its pleasant haptics, creates natural elegance, clarity and peace.

H.O.M.E. Messestand

Das H.O.M.E.-Depot hat sich zu Österreichs erfolgreichster und spannendster Design-Möbelmesse entwickelt. Um den Ansprüchen der Besucher und an die eigene Marke gerecht zu werden, wurde hierfür eine eigens gestaltete H.O.M.E.-Lounge mit fibreC-Glasfaserbeton umgesetzt. Gestalterisch schlingen sich Bar und Tresen durch die ganze Lounge und enden schwungvoll an der Raumdecke. Möglich wurde dies, da sich concrete skin geschmeidig über Ecken und Kanten führen und auch in den Innenraum ziehen lässt. Die universelle Einsatzmöglichkeit an Boden, Wand und Decke löst traditionelle Raumbegrenzungen auf und erzeugt einen einzigartigen Materialfluss. Innen und Außen verschmelzen zu einem Ganzen. Zugleich modern und puristisch, fügt sich das Material in Innenräume ein und schafft durch seine angenehme Haptik und natürliche Anmut Ruhe und Klarheit.

Le stand H.O.M.E.

L'entrepôt H.O.M.E. est devenu l'espace le plus célèbre d'exposition de meubles design de toute l'Autriche. Afin de répondre aux attentes des visiteurs et d'être fidèle à la marque, on a réalisé un lounge H.O.M.E. à partir de FibreC, un béton de fibres de verre. Le bar et le comptoir donnent sur toute la longueur du lounge et s'élancent telle une vague jusqu'au plafond. Le matériau utilisé, qui épouse avec souplesse les coins et les angles, s'étirant tel un élastique, a rendu cet ouvrage possible. Les utilisations diverses du matériau sur les sols, les murs et les plafonds repoussent les limites traditionnelles de l'espace et créent une singulière fluidité. Espaces intérieurs et extérieurs se confondent dans un tout. Le matériau à la fois moderne et austère, agréable au toucher et d'une grâce naturelle, s'intègre dans la pièce et octroie à cette dernière calme et luminosité.

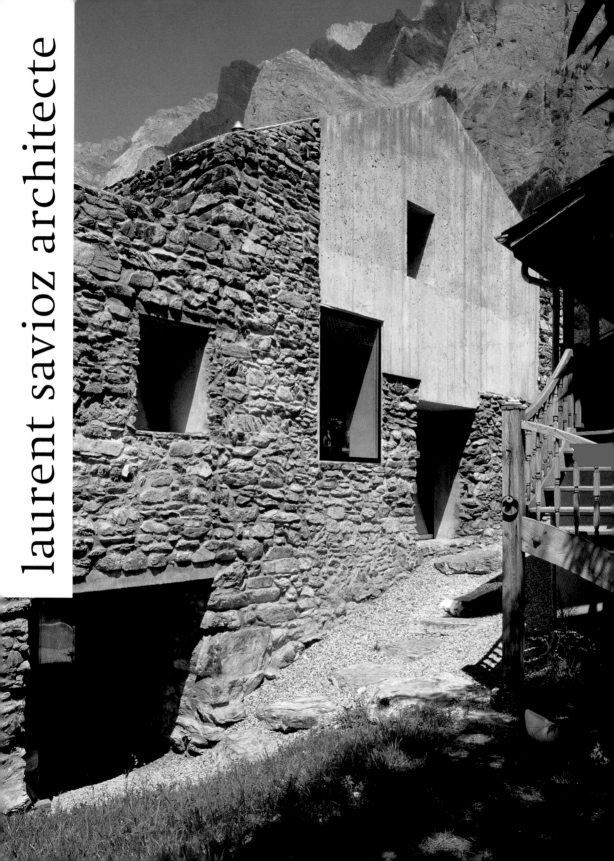

laurent savioz architecte

Chamoson House

This building, originally used for agricultural purposes and which is found on a craggy rock wall, was built in various phases from 1814 onwards. The proximity of the rock wall to the stone construction has given this place a highly mineral character.
The building was left largely unchanged, the original stone facades and existing openings were kept. Some large windows were added in order to highlight the beautiful view of the surrounding landscape. Differentiations in the room heights, simple development, clear, straightforward room sizes and a reduced variety of material characterize the interior. In addition, the inner walls were doubled with insulating concrete. This double reinforcement creates a new supporting structure, which secures the old stonewalls and ensures proper heat insulation.

Haus Chamoson

Ein an einer Felswand gelegenes Gebäude, seit 1814 in Etappen gebaut, wurde zuvor als landwirtschaftliches Gebäude genutzt. Die Nähe der Felsen und die Steinkonstruktion geben diesem Platz einen sehr starken mineralischen Charakter. Die Gebäude wurden nicht verändert, ihre Steinfassaden und die bestehenden Öffnungen wurden beibehalten. Einige große Fenster wurden hinzugefügt, um den herrlichen Blick auf die umgebende Landschaft zu unterstreichen. Differenzierung in den Raumhöhen, einfache Erschließung, klare, simple Raumformen und eine reduzierte Materialauswahl prägen das Innere. Weiterhin wurden die Innenwände mit isolierendem Beton (Schaumglasschotter) verdoppelt. Diese Verdoppelung bildet die neue Trägerstruktur, die die alten Steinmauern sichert und die Wärmeisolation garantiert.

Maison Chamoson

Destiné jadis à l'agriculture, cet édifice, érigé au pied d'une paroi rocheuse et dont la première pierre a été posée en 1814, a connu une construction par étapes. La proximité de la montagne et de ses roches ainsi que la partie en pierres de la construction donnent un caractère minéral à l'ensemble. Les éléments d'origine ont été conservés à l'instar des façades de pierres et des ouvertures sur l'extérieur. Quelques fenêtres sont venues s'y ajouter afin de mettre l'accent sur le beau panorama que compose la nature environnante. L'intérieur se définit par des hauteurs de plafonds variables, des espaces simples et clairs et l'utilisation de quelques matériaux seulement. La surface des murs intérieurs a été doublée avec du béton isolant composé de billes de verre cellulaire. Cet ouvrage est la nouvelle structure de soutien qui protège les anciens murs de pierre et isole du froid.

The interior is composed of raw, mineral materials, such as natural stone, exposed concrete and polished floor screed.

Der Innenraum ist aus rohen, mineralischen Materialien zusammengesetzt: Naturstein, Sichtbeton, polierte Estrichböden.

L'intérieur de l'édifice est composé de matériaux bruts et minéraux : pierre naturelle, béton apparent et sols formés d'une couche de béton poli.

Modern atmosphere, openness and cool neutrality characterize all inner rooms.

Modernität, Offenheit und eine kühle Sachlichkeit prägen die gesamten Innenräume.

Modernité, clarté et sobriété caractérisent l'intérieur de l'édifice.

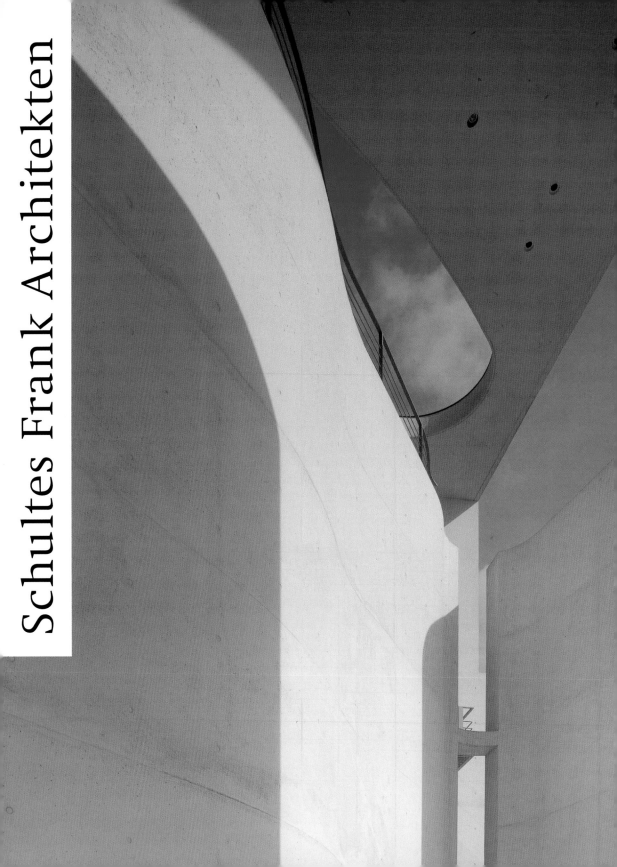

Schultes Frank Architekten

Chancellery in Berlin

The chancellery stretches across a main effective surface of 62,336 square feet (19,000 square meters), with two wings holding administrative offices bordering to the north and south side. Between the two tracts, the white cement of the nine-storied cube rises. Twice the size of the surrounding buildings, the Chancellor's office represents a unique structure, highlighted by the freestanding stelae out of curved exposed concrete. The chancellery thus impressively unites many elements, which at first glance seem contradictory: glass and concrete, static and movement, corners and waves, transparent and closed elements. White pigments and white stone meal are responsible for the light white of the ready-mixed concrete used for the construction. The consistently daring design has created a work of architecture with exceptional character.

Kanzleramt in Berlin

Das Kanzleramt erstreckt sich auf einer Hauptnutzfläche von 19.000 m² und wird an der Nord- und Südseite von zwei Flügeln mit Verwaltungsbüros flankiert. Zwischen den beiden Trakten erhebt sich in Weiß-Zement der neungeschossige Kubus des Leitungsgebäudes, das die umgebende Bebauung um das Doppelte überragt. Dabei betonen die freistehenden Stelen aus gewelltem Sichtbeton die unverwechselbare Struktur des Gebäudes. Das Kanzleramt vereint auf eindrucksvolle Weise viele Elemente, die zunächst widersprüchlich erscheinen: Glas und Beton, Statik und Bewegung, Kanten und Wellen, Transparenz und Geschlossenheit. Weißpigment sowie weißes Gesteinsmehl sorgen für das helle Weiß des beim Bau verwendeten Transportbetons. Eine konsequent mutige Gestaltung hat daraus eine Architektur von besonderem Charakter geschaffen.

La Chancellerie à Berlin

La Chancellerie s'étend sur une superficie de 19 000 m² avec sur ses côtés nord et sud deux ailes qui abritent son administration. Entre ces deux éléments s'élève le bâtiment principal composé d'un cube de neuf étages en ciment blanc. Ce dernier domine l'ensemble architectural en étant deux fois plus grand que les bâtiments annexes. Les colonnes en béton apparent ondulé soulignent une structure architectonique reconnaissable entre toutes. La Chancellerie réunit avec force des éléments qui à première vue semblent s'opposer : verre, béton, statisme et mouvement, angles et courbes, transparences et pleins. La couleur du béton utilisé, un blanc clair, a été réalisée à partir de pigments blancs et de poudre minérale blanche. Cet édifice à l'architecture caractéristique est le fruit d'une audacieuse conception.

Path slabs—Leonardo

On the company Leonardo's plot of land, the "Glass Cube" was inaugurated. An organically formed net of paths to the outer facilities was developed in close collaboration with the architects from 3deluxe and produced as precast concrete units. In all, 193 individually shaped precast concrete units out of white architectural concrete were delivered, with an acidic and hydrophobic surface. All building elements were planned on the computer and the exact forms were produced with a computer-directed concrete cutter. Later, the elements were poured, treated and then delivered to Bad Driburg (Germany).

Wegplatten Leonardo

Auf dem Firmengelände der Marke „Leonardo" wurde der „Glass Cube" eröffnet. Das organisch geformte Gehwegnetz der Außenanlagen wurde in enger Zusammenarbeit mit den Architekten von 3deluxe entwickelt und als Betonfertigteil-Lösung umgesetzt. Geliefert wurden 193 individuell geformte Betonfertigteile aus weißem Architekturbeton, mit gesäuerter und hydrophobierter Oberfläche. Alle Bauteile wurden am Computer geplant und die Formen mittels einer computergesteuerten Betonfräse exakt hergestellt. Anschließend wurden die Elemente im Werk betoniert, bearbeitet und dann nach Bad Driburg geliefert.

Dalles Leonardo

Ce cube de verre a été inauguré sur le site de l'entreprise Leonardo. Les aménagements extérieurs sont caractérisés par un réseau de chemins de forme organique qui a été élaboré en étroite collaboration avec les architectes du bureau 3deluxe et réalisé à partir de 193 éléments préfabriqués en béton blanc, à la surface acide et hydrophobe. Ces éléments ont été dessinés à l'aide d'un logiciel et les formes découpées avec une grande exactitude à l'aide d'une fraise à béton assistée par ordinateur. Après avoir été bétonnés puis retravaillés, les éléments ont pris le chemin de Bad Driburg.

smarch Architekten

New Apostolic Church

Built over a sloping terrain, this building seems sculptural. 'Hand in hand', the leitmotif of two holding hands was translated into this concrete structure. The jutting platform of the church room swings behind the altar to the back wall, indirectly lit from above. This movement is repeated in the curved ceiling. A changing intensity modulates the shining bright concrete wall, particularly appealing in the curve between floor and altar wall. Rising air bubbles left an unexpected pattern in the drying concrete, still visible in the concrete shell. The pattern shows the process of solidification of smooth cement mass as well as demonstrating how liquid becomes solid and softness transforms into hardness. By spraying the concrete inside and outside, the stones' mass of debris becomes apparent.

Neuapostolische Kirche

Das über einer Geländesenke errichtete Gebäude wirkt skulptural. „Hand in Hand", der Grundgedanke zweier zusammengeführter Hände wurde in eine Betonstruktur übersetzt. Die ausragende Plattform des Kirchensaals schwingt hinter dem Altar in die indirekt von oben beleuchtete Rückwand ein – eine Bewegung, die von der geschwungenen Decke aufgegriffen wird. Eine sich verändernde Intensität moduliert die hell erstrahlende Betonwand; besonders reizvoll ist dies in der Kehle zwischen Boden und Altarwand. Aufsteigende Luftbläschen haben innerhalb der Schalung mit einem unfreiwilligen Muster ihre Spuren im noch feuchten Beton hinterlassen. Das Muster zeigt den Prozess der Erstarrung einer geschmeidigen Zementmasse ebenso wie Flüssiges fest und Weiches hart wird. Indem der Beton innen und außen abgespritzt wurde, tritt die Geröllmasse der Steine deutlich zutage.

Église néoapostolique

L'édifice qui s'élève sur une surface légèrement en pente est d'aspect sculptural. « Main dans la main », l'idée de deux mains qui se rejoignent a été traduite dans une structure de béton. La plate-forme de l'espace principal bascule derrière l'autel dans un mur éclairé par une lumière zénithale : un mouvement qui rappelle la forme arrondie du plafond. Les murs de béton clair sont d'une intensité variable. Le creux qui se dessine entre le sol et le mur de l'autel est particulièrement représentatif de ce phénomène. À l'intérieur du coffrage, des bulles d'air ont laissé leurs traces dans le béton encore humide, créant un motif qui n'était pas prévu. Ce dernier illustre le procédé de solidification d'une masse de ciment souple, montrant comment le liquide se solidifie et le mou se durcit. Le béton a été lavé, laissant apparaître les graviers qui le composent.

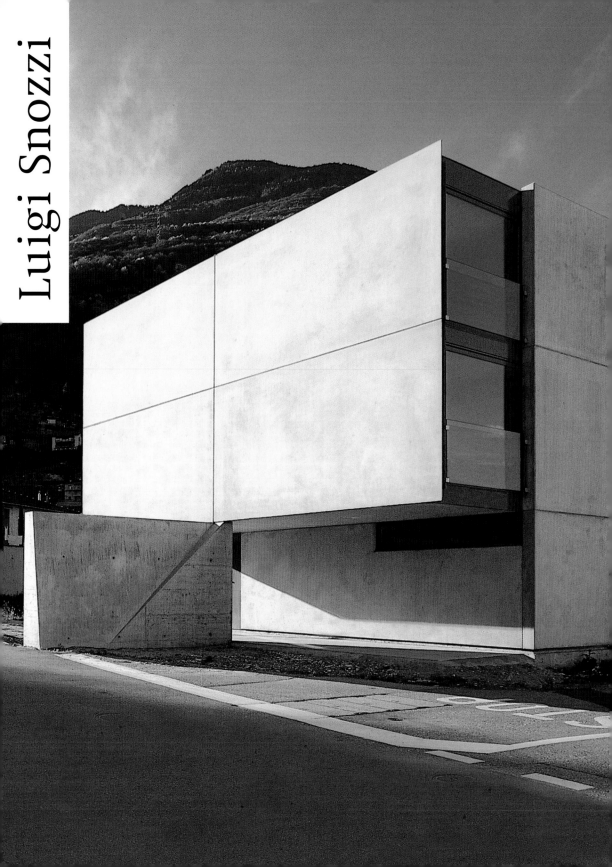

Luigi Snozzi

Grossi House

The house consists of exposed concrete with a markedly horizontal structure. The strength of floor and ceiling slabs can be seen from outside. The wall elements were filled with exposed concrete clearly showing the shell structure. For even when the concrete wall is replaced by a slab of glass, it represents only a rudimentary slope to ensure the form of the cube is kept. To the north, a parcel of land represents the completion of a future village extension and simultaneously functions as the entrance to the village. A right-angled upright concrete beam, on which the building seems to recline, commands attention. The wall on which this beam is placed separates the public entry space from the private space of the garden, while the foliage promenade unites these two spaces and leads to the building's entrance.

Haus Grossi

Das Haus besteht aus Sichtbeton mit einer ausgeprägten horizontalen Struktur. Die Boden- und Deckenplatten sind in ihrer Stärke in der Außenansicht ablesbar, die Wandteile dazwischen mit Sichtbeton aufgefüllt. Dabei zeichnet sich die Schalstruktur deutlich ab. Löst sich die Betonwand als Glasscheibe auf, dient sie nur noch als rudimentärer Sturz, um die Gesamtform des Kubus zu wahren. Die Parzelle bildet nach Norden hin den Abschluss einer zukünftigen Dorferweiterung und fungiert gleichermaßen als Entree für den Ort selbst. Augenfällig ist ein rechtwinklig gestellter Betonbalken, auf dem das Gebäude aufzuliegen scheint. Die Mauer, auf der der Balken aufliegt, teilt den öffentlichen Raum der Ankunft vom privaten Raum des Gartens, während der überquerende Laubengang diese beiden Räume verbindet und zum Eingang des Gebäudes führt.

Maison Grossi

La maison, en béton apparent, possède une structure horizontale manifeste. L'épaisseur des plaques réalisées pour les sols et plafonds est visible de l'extérieur ; les éléments qui composent les murs sont en béton apparent. La structure des coques est ici évidente. Lorsque le mur de béton devient paroi de verre, cette dernière n'est plus qu'un élément de soutien rudimentaire qui donne sa forme au cube. Vers le nord, l'édifice est construit en aval d'une zone constructible qui repoussera les limites géographiques du village et lui sert de porte d'entrée. Une poutre de béton, posée à angle droit et sur laquelle semble reposer l'édifice, attire l'attention. Le mur qui soutient cet élément sépare l'espace public formé par l'entrée de l'espace privé du jardin, tandis que l'allée couverte sert de trait d'union à ces deux espaces et conduit vers la porte.

The division of the house plan is determined by the external space. The consistent form of construction places the rooms along the façade towards the southwest.

Die Aufteilung der Wohnungsgrundrisse wird vom Außenraum bestimmt. Die konsequente Bauweise zoniert die Räume an der Fassade nach Südwesten entlang.

Les pièces d'habitation suivent un plan déterminé par les espaces extérieurs de la maison et sont en conséquence situées le long de la façade sud-ouest.

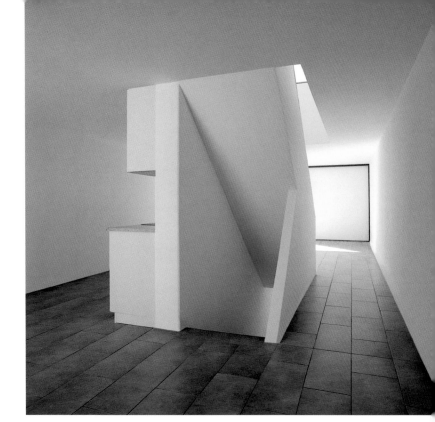

The concrete elements were precast in a sandwich system and built on site, for financial and structural reasons.

Die Betonteile wurden im Sandwich-System vorfabriziert und aus kosten- und bautechnischen Gründen vor Ort montiert.

Les éléments de béton, une structure en sandwich, ont été préfabriqués et, pour des raisons techniques et des questions de coûts, montés sur place.

Hall of Remembrance

The design of these cemetery grounds go beyond the notion of a mere extension. The existing buildings merge with the finished project, presenting a far more unified image. Sober, unadorned and discreet at the same time, this is a real place of remembrance for an entire community. Through the deliberate use of exposed concrete, modern times are subject to a certain classical interpretation. Over the canopy, the sudden and painful breakthrough of the cross evokes great images of art history, the torches and spearheads, cross beams and rods that unite the heavens and the earth, human fate and divine plan.

Aussegnungshalle

Die Arbeit an der Friedhofsanlage geht über die Idee einer bloßen Erweiterung hinaus und bindet die bestehende Anlage vielmehr in ein einheitliches Bild ein, das nüchtern, schnörkellos und diskret zugleich ist, ein realer Ort des Gedenkens für ein ganzes Gemeinwesen. Durch den überaus zielgerichteten Einsatz von Sichtbeton wird in gewisser Weise eine klassische Interpretation von Modernität aufgerufen. Über dem Vordach beschwört der ungestüme und schmerzhafte Durchbruch der Marterhölzer große Bilder der Kunstgeschichte herauf, jene Fackeln und Speerspitzen, Kreuzbalken und Stäbe, die Erde und Himmel, das Schicksal des Menschen und göttlichen Plan miteinander verbinden.

Salle de recueillement

Cet ouvrage réalisé au sein d'un cimetière est plus qu'une simple extension d'un bâtiment existant, mais forme avec ce dernier un ensemble homogène à la fois sobre, sans fioritures et discret : un lieu de recueillement pour toute une communauté. L'utilisation appuyée du béton apparent donne d'une certaine manière lieu à une interprétation classique de la modernité. La force et la douleur avec laquelle les poteaux en bois du supplice viennent percer l'auvent de l'édifice évoquent les grandes représentations de l'histoire de l'art associant tour à tour flambeaux et pointes de lance, barres cruciformes, la Terre et le Ciel, le destin des hommes et la volonté divine.

Andreas Strauss

Parkhotel

Recent art graduate Andreas Strauss uncompromisingly challenged the concept of a hotel room and has, with great likelihood, created the world's most minimalist version of a hotel—the Parkhotel. Three suites were built in converted concrete pipes of 6.5 feet (2 m) length and height. The furnishings include a 4.5 feet (1.4 m) wide bed, sufficient storage area, a lamp, as well as the view over the starry night through a porthole. Room for storage is under the bed; a lamp, a three-way plug and cordless Internet access complete the technical infrastructure of the suite. Even art was included in the design—the Austrian artist Thomas Latzel-Ochoa painted the back walls of the suite. Once closed, the nine and a half ton suite provides the necessary sense of security needed in a foreign environment.

Parkhotel

Der Kunsthochschulabsolvent Andreas Strauss hat das Konzept eines Hotelzimmers kompromisslos hinterfragt und mit seinem „Parkhotel" die weltweit vermutlich minimalistischste Version eines Hotels ins Leben gerufen: Drei „Suiten" in umgestalteten Kanalröhren aus Beton mit zwei Metern Länge und Höhe. Zur Ausstattung gehören ein 140 Zentimeter breites Bett, Stauraum, eine Lampe sowie der Ausblick in den Sternenhimmel über ein eingelassenes Bullauge. Unter dem Bett ist Platz für Mitgebrachtes. Eine Lampe, eine Dreifachsteckdose und ein drahtloser Zugang ins Internet vervollständigen die technische Infrastruktur der Suite. Auch die Kunst kommt zu ihrem Recht: Der österreichische Künstler Thomas Latzel-Ochoa hat die Rückwände der Suite bemalt. Einmal geschlossen, bietet der Raum, mit seiner Masse von immerhin neuneinhalb Tonnen, jene Sicherheit, die man im fremden Umfeld wohl sucht.

Hôtel du parc

L'ancien étudiant aux Beaux-Arts, Andreas Strauss s'est penché sans aucune compromission sur la notion de chambre d'hôtel. Il a réalisé avec son « hôtel du parc » vraisemblablement un hôtel dans sa version la plus minimaliste qui soit : trois suites dans des conduits de canalisation en béton de 2 mètres de haut et de large. L'aménagement intérieur se compose d'un lit de 140 cm de large, d'un espace de rangements, d'une lampe et d'un hublot avec vue sur le ciel. On peut glisser ses affaires sous le lit. Une prise électrique multiple et un accès sans fil à l'Internet complètent l'infrastructure de la suite. Les fresques réalisées par l'artiste autrichien Thomas Latzel-Ochoa apportent la touche artistique indispensable. Une fois la porte fermée, la chambre, avec ses 9,5 tonnes, est un espace dans lequel on se sent en sécurité, un sentiment apaisant dans un univers inconnu.

www.dasparkhotel.net

Deliberately kept as simple as possible from the outside, the pipes offer unexpected comfort once inside, such as full standing height, queen-size bed, storage area and light. All other hotel-specific elements, such as toilets, showers, minibars and cafeteria are available through existing institutions in the public area.

Von Außen betont schlicht gehalten, bieten die Röhren im Innern unerwartet großen Komfort wie volle Stehhöhe, Doppelbett, Stauraum und Licht. Alle anderen hotelspezifischen Einrichtungen wie Toiletten, Duschen, Minibar und Cafeteria werden durch im öffentlichen Umfeld vorhandene Einrichtungen abgedeckt.

Très sobres lorsqu'on les regarde de l'extérieur, les conduits offrent à l'intérieur un confort inattendu et forment un espace où l'on tient debout, avec un lit à deux places, des rangements et une lampe. Le reste de l'infrastructure typique d'un hôtel – toilettes, douches, minibar et cafétéria – se trouve dans les diverses installations et services du parc.

subarquitectura

Tram stop

The city of Alicante in Spain has created room for urban experiences with this cutting-edge design. For several years this central area had suffered severe neglect and met with growing criticism. A newly created tram stop and design of the area surface helped solve this structurally frustrating urban situation. New trams with modified gauges gave the city Alicante a chance to integrate one of the new stops in a newly built parking area. The lentil-shaped plot was transformed and re-shaped, crowned by eye-catching roofs out of concrete. Now, the park is impressively illuminated and even the apparently support-free roofs seem to float like two overly dimensional perforated lampshades.

Haltestelle

Mit der Neugestaltung des Platzes hat Alicante Raum für Stadterlebnisse geschaffen. Seinen Charme gewinnt der Ort aus dem rechten Maß der Architektur und Flächengestaltung. Über Jahre stieß der zentral gelegene, jedoch arg vernachlässigte Platz auf Ablehnung. Mit einer neu gestalteten Haltestelle und der überarbeiteten Platzfläche wurde eine passende Antwort auf die städtebaulich unbefriedigende Situation gefunden. In Alicante wurde eine neue Stadtbahn mit geänderten Spurbreiten eingeführt. Hierzu wurde die Chance genutzt, eine der neuen Haltestellen städtebaulich in ein neu angelegtes Parkrondell zu integrieren. Aus dem linsenförmigen Gelände entwickelt sich eine neue Gestaltung, die von augenfälligen Überdachungen aus Beton gekrönt wird. Nun wird nicht nur der Park eindrucksvoll illuminiert, auch die ständerfrei wirkenden Überdachungen scheinen wie zwei überdimensionale, perforierte Lampenschirme über der Anlage zu schweben.

Station de métro

La ville d'Alicante a créé avec la transformation de cette place un nouvel espace urbain. Le mélange équilibré d'éléments architecturaux et de surfaces planes donne tout son charme à cet endroit. Cette place située au cœur de la ville a pourtant été pendant des années désertée par ses habitants. Pour remédier à une situation insatisfaisante en termes d'urbanisme, on a créé une station de métro et réaménagé la place. En effet, un métro avec une nouvelle largeur de rails devait être mis en service à Alicante. On en a donc profité pour installer une des nouvelles stations de métro sur cette place réaménagée à cette fin en square. Sur une surface qui a la forme d'une lentille s'élève une réalisation architecturale dont les toits retiennent l'attention. De nuit, le parc est illuminé de manière spectaculaire et les toits de la station, dont les montants sont presque invisibles, ont l'air de deux énormes abat-jour perforés qui flottent sur l'ensemble.

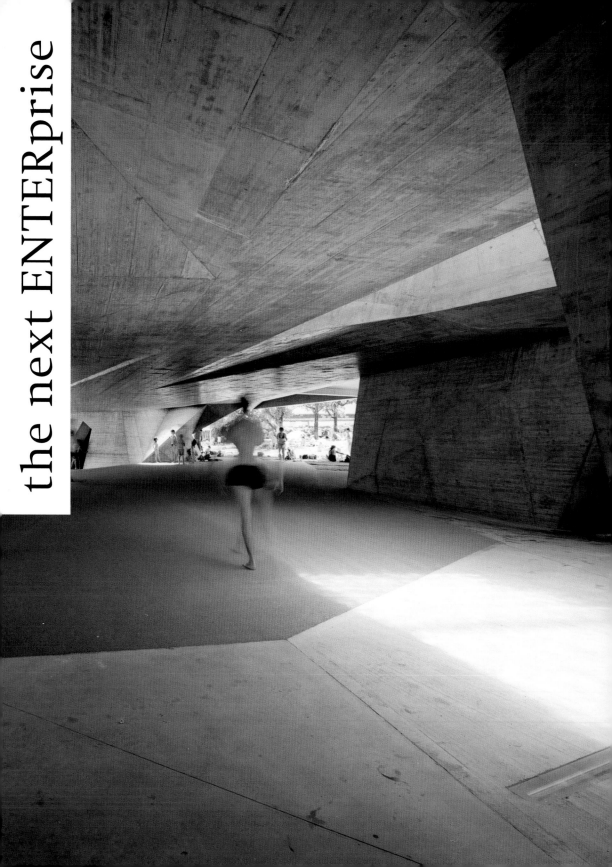

the next ENTERprise

Kaltern sea bath

One of the conditions for this design was to build on as little land as possible. The baths are thus organized on several levels and the basins are raised from the ground level in a way that lets the grassy landscape roll underneath the floating basin. The bodies of water rest on spatially developed concrete columns, which contain grottos, a whirlpool and a rain room with showers. Creation of the dancing concrete depicted here is a considerable feat of construction. Manufacturing reinforced concrete for forms of this complexity is akin to pouring a sculpture—such a perfect shell and sharp corners are rare; no tensile anchor left any signs from the production process on the surface. Now only moss needs to cover the concrete landscape and thus highlight the haptic components of the design.

Seebad Kaltern

Als Entwurfsvoraussetzung galt, das Grundstück möglichst wenig zu verbauen. Somit ist das Bad auf mehreren Ebenen organisiert, zudem heben sie die Schwimmbecken so vom Boden ab, dass die Landschaft in Form einer Liegewiese unter den schwebenden Bassins durchfließen kann. Die Wasserkörper lagern auf räumlich ausgebildeten Betonstützen, deren Inneres zu Grotten mutiert und einen Whirlpool sowie einen Regenraum mit Duschen beherbergt. Beton derart zum Tanzen zu bringen, wie es hier vorgeführt wird, ist konstruktiv eine beachtliche Leistung. Die Herstellung von Stahlbeton für Formen dieser Komplexität gleicht dem Gießen einer Skulptur. Die Schalung ist perfekt, die Kanten scharf, und kein Spannanker hat Spuren des Herstellungsprozesses in der Oberfläche hinterlassen. Nun soll Moos die Oberflächen der Betonlandschaft überziehen und so die haptische Komponente des Entwurfs unterstreichen.

Piscine de Kaltern

Le projet était soumis à des conditions précises, celles d'occuper le moins d'espace possible. La piscine s'élève ainsi sur plusieurs étages, le bassin de natation est construit en surélévation par rapport au sol de manière à ce que les pelouses, espaces de détente, puissent passer sous le complexe. Les bassins reposent sur des piliers de béton formant un espace qui ressemble à une grotte. Cette dernière abrite un jacuzzi et des douches. Faire danser le béton de cette manière est une fameuse performance. La fabrication du béton armé nécessaire à une réalisation d'un tel niveau de complexité peut être comparée au processus de fonte d'une sculpture. Le coffrage et les angles sont parfaits ; on ne décèle aucune trace des procédés de fabrication sur les surfaces. C'est désormais à la mousse de recouvrir les surfaces de ce paysage de béton afin de mettre en valeur les qualités haptiques du projet.

Special cement was used, which was specifically developed to produce self-compacting concrete. Because of the highly complicated geometry of all the supportive cores and the fact that each core is a unique piece, each mold was only used once. Through the easily sealed board structure of the molds, smooth, almost soft haptics are created.

Hier kam ein Spezialzement zum Einsatz, der eigens zur Herstellung von selbstverdichtendem Beton entwickelt wurde. Aufgrund der sehr komplizierten Geometrien aller Stützkerne und der Tatsache, dass jeder Kern ein Unikat war, kam jede Schaltafel nur einmal zum Einsatz. Durch die leicht versiegelte Brettchenstruktur der Tafeln wurde eine für Beton vergleichsweise „samtige, fast weiche" Haptik erzielt.

On a utilisé un ciment spécifique afin de fabriquer un béton aux propriétés étanches. En raison de la géométrie très compliquée des points d'appui, tous différents les uns des autres, les peaux de coffrage n'ont été utilisées qu'une fois. La structure en planchettes de ces peaux a permis de créer des surfaces de béton qui au toucher font penser à du velours ou à de la soie.

THINK CONCRETE

Furniture & accessories

Concrete is not always concrete—the specific properties, qualities and elements are unique—which helps raise a consciousness for its potential beauty. Once concrete's diversity and ingeniousness are cherished, ideas and creativity will abound. Often, concrete is far too quickly judged using associative thought patterns: concrete is gray, cold, morbid. The designers of Think Concrete fight against this prejudice. For them, concrete can feel warm; the surface can be satiny smooth and highly polished. Numerous colors can change its appearance and, similar to the cake tin principle, concrete can be poured into any desired form. Concrete is a natural material; the optical and the haptic properties are honest, massive, earthy and attractive.

Möbel & Accessoires

Beton ist nicht gleich Beton – seine besonderen Eigenschaften, seine Beschaffenheit und seine Bestandteile sind einzigartig – wodurch ein Bewusstsein für seine potentielle Schönheit entsteht, wird man seine Genialität und Vielseitigkeit ehren, können Idee und kreatives Schaffen wachsen. Viel zu schnell wird hierbei nach einem assoziativen Denkschemata geurteilt: Beton ist grau, trist, kalt. Die Designer von Think Concrete stemmen sich gegen dieses Vorurteil. Für sie gilt: Beton kann sich warm anfühlen, seine Oberfläche kann samtweich und spiegelglatt sein. Man kann ihm unendlich viele Farben verleihen und ihn, ähnlich dem Kuchenbackform-Prinzip, in jede gewünschte Form bringen. Beton ist ein Naturmaterial, seine optischen wie haptischen Eigenschaften sind ehrlich, massiv, erdig, anziehend.

Meubles & accessoires

Béton n'est pas toujours synonyme de béton – ses propriétés et ses composants sont uniques. C'est en ayant conscience de sa potentielle beauté que l'on honore son talent et sa diversité, laissant libre cours à ses idées et à sa créativité. Pourtant, selon un schéma de pensée courant, on porte bien vite un jugement sur ce matériau que l'on qualifie de gris, de froid et de triste. Les designers de Think Concrete vont à l'encontre de cette idée. Pour eux, le béton peut être source de chaleur et sa surface douce et aussi lisse qu'un miroir. On peut lui donner une multitude de couleurs et la forme qu'on désire selon un processus de fabrication qui s'apparente à celui des gâteaux moulés. Le béton est un matériau minéral, aux propriétés optiques et haptiques qui mettent en valeur sa solidité, son volume et sa beauté naturelle.

Smooth and satiny, and also artistic in its untreated rawness, concrete is exceptional and fascinating.

Nicht nur glatt und samtig, auch in seiner künstlerischen Rohheit wirkt Beton außergewöhnlich und faszinierend.

Au-delà de son aspect qui peut être lisse et velouté, le béton à l'état brut étonne et fascine.

Concrete sinks in their simplest form evoke grandmother's sink— simple and straightforward.

Betonwaschbecken in ihrer einfachsten Form erinnern an Großmutters Waschbecken. Einfach schlicht.

Les vasques de béton dans leur forme la plus simple ne sont pas sans rappeler les salles de bains de nos grand-mères. Elles sont d'une grande pureté.

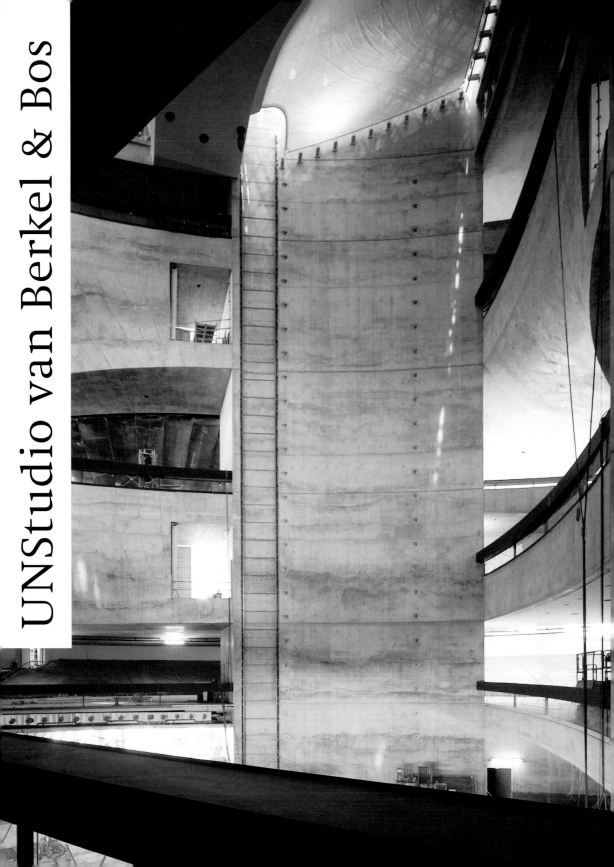

UNStudio van Berkel & Bos

Mercedes-Benz Museum

Baroque computer and modern digital times are only two of the labels given to this new building. Architectonic characteristics, such as straight walls, flat floors or locked rooms, lack completely testifying to the level of digital design technology. In addition to the partially dizzying formal language, the museum building impresses through its radical two-dimensional flatness. Realizing the curved surfaces was a particular challenge. In order to facilitate the production, a special process was developed that allows creation of a double curve by creating flatly cut elements, which then only need to be formed elastically or pushed into the right shape. The rough concrete contrasts with the polished metal surfaces and also awakens associations to these materials' natural habitat: images suddenly pop up—of car tunnels, bridge constructions and marked-out routes.

Mercedes-Benz Museum

„Rechner-Barock" und „Digital-moderne" – das sind nur zwei der Etiketten, die diesem Neubau angeheftet wurden. Das Gebäude, dem Architekturmerkmale wie gerade Wände, ebene Böden oder abgeschlossene Räume fehlen, ist ein Statement zum Stand der digitalen Entwurfstechnik. Neben der teilweise schwindelerregenden Formensprache besticht der Museumsbau durch seine radikale Materialität: Die Realisierung der gekrümmten Flächen stellte eine besondere Herausforderung dar. Zur Vereinfachung der Herstellung wurde ein spezielles Verfahren entwickelt, das es erlaubt, doppelte Krümmung durch flach zugeschnittene Elemente zu erzeugen, die nur elastisch verformt in die richtige Form gedrückt wurden. Der raue Beton kontrastiert dabei mit den polierten Metalloberflächen der Exponate und ruft gleichzeitig Assoziationen zu deren natürlichem Lebensraum wach: Bilder von Autobahnunterführungen, Brückenbauwerken und aufgeständerten Trassen drängen sich auf.

Musée Mercedes-Benz

Cette construction récente a reçu plusieurs qualificatifs dont, pour n'en retenir que deux, ceux de « baroque informatique » et de « modernité numérique ». Cet ensemble – au sein duquel on cherchera en vain des éléments architectoniques caractéristiques tels des murs droits, des sols de niveau égal ou des espaces fermés – est exemplaire de l'état d'avancée du numérique en matière de conception. Parallèlement à un langage de formes qui peut donner le vertige, le musée séduit par la matérialisation radicale du projet : la réalisation des formes courbes est une véritable prouesse. Pour en simplifier la fabrication, on a mis au point un procédé qui permet de produire une double courbure à l'aide d'éléments plats auxquels l'on peut donner la forme souhaitée, ce à la manière d'un élastique. Le béton à l'aspect rugueux contraste avec les surfaces en métal poli des véhicules exposés et évoque en même temps des éléments de leur cadre naturel, à savoir des tunnels d'autoroutes, des ponts et des voies surélevées.

Material, structure, light and tone perfectly matched the exhibit items.

Material, Struktur, Licht und Ton wurden exakt auf die Exponate abgestimmt.

Matériau, structure, lumière et couleur, tout a été soigneusement choisi en fonction des pièces exposées.

The sheer power of the exposed concrete-construction gives the room continuum its support.

Durch die schiere Wucht der Sichtbeton-Konstruktion erhält das Raumkontinuum seinen Halt.

La puissance de cette construction en béton apparent sert d'appui au continuum spatial.

Numbered with care. Like the rest of the building, the numbers designating the stories were made of exposed concrete. The numbers were carefully casted in advance.

Nummerierte Sorgfalt. Wie das gesamte Gebäude wurden auch die Zahlen für die Stockwerke in Sichtbeton ausgeführt. Diese wurden im Vorfeld sorgfältig ausgeschalt.

Une numérotation minutieuse. La numérotation des étages est en béton apparent comme l'ensemble de l'édifice. Le décoffrage a été effectué au préalable avec la minutie qui convient.

The concrete ceilings, as strong as six-lane highway bridges, appear light and futuristic.

Die betonierten Decken, so stark wie sechsspurige Autobahnbrücken, wirken dennoch leicht und futuristisch.

Les plafonds en béton, dont l'épaisseur est semblable à celle d'un pont autoroutier à six voies, ont cependant un aspect aérien et futuriste.

Villa Rocca

Cocoon Club / Konum

DJ Sven Väth's Club in Frankfurt Westend is internationally renowned. The essential part of this organic-amorphous I/interior structure is a central triangular dance area, which is separated from the surrounding boundaries by a concrete open web wall. Constructed by Villa Rocca and hand-made, the open web wall consists of the 800 times addition of a 2.6 by 2.6 feet (80 x 80 cm) large wall element. It is formed so that it can be turned 90° and reattached. Initially, the pattern of the kidney-shaped perforations is so confusing that the repetitive pattern is not initially recognized. Open to both sides, the medium-high room divider, reminiscent of a shrubbery, contains all necessary technological elements. In addition, small green illuminated separées are included, known as 'cocoons' and thus the reason for the club's name.

Cocoon Club / Konum

Der Club des DJ's Sven Väth liegt im Frankfurter Westend und erfreut sich weltweiter Anerkennung. Wesentlicher Bestandteil dieses organisch-amorphen Innenraumgebildes ist ein zentraler, dreieckiger Tanzbereich, der von der umlaufenden Erschließung durch eine Beton-Wabenwand getrennt wird. Die von Villa Rocca in Handarbeit hergestellte Wabenwand besteht aus der 800fachen Addition eines einzigen 80 x 80 cm großen Wandelementes. Es ist so ausgebildet, dass es jeweils um 90° gedreht wieder aneinander gesetzt werden kann. Dabei wirkt das Muster der nierenförmigen Perforationen so verwirrend, dass das Auge das Wiederholungsmuster nicht erkennt. Dieser zu beiden Seiten offene, heckenartige und geschosshohe Raumteiler beinhaltet alle notwendigen Techniktrassen. Ferner finden sich in ihm kleine, grün illuminierte Separées. Sie werden „Cocoons" genannt und sind die Namensgeber des Clubs.

Cocoon Club / Konum

Le night-club du D. J. Sven Väth est situé dans la partie ouest de Francfort et connaît une renommée mondiale. La piste de danse en forme de triangle est la composante essentielle de cette entité organique et amorphe. Elle est séparée des aménagements annexes par un mur de béton qui s'apparente aux alvéoles d'une ruche. Ce mur est une réalisation de Villa Rocca ; il est composé de 800 éléments d'une surface de 80 x 80 cm assemblés à la main. Les éléments sont conçus de telle manière qu'ils se rejoignent de nouveau après une rotation de 90°. Le motif créé par les perforations en forme de haricot est si troublant que l'œil n'en discerne pas la répétition. Cet élément ouvert sur deux côtés, s'élevant sur toute la hauteur de la pièce et divisant l'espace à la manière d'une haie contient tous les éléments techniques nécessaires. Il abrite également en son sein de petites alcôves vertes qu'on a appelées « Cocoons » et qui donnent son nom au night-club.

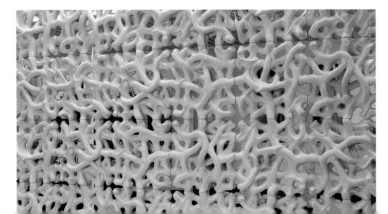

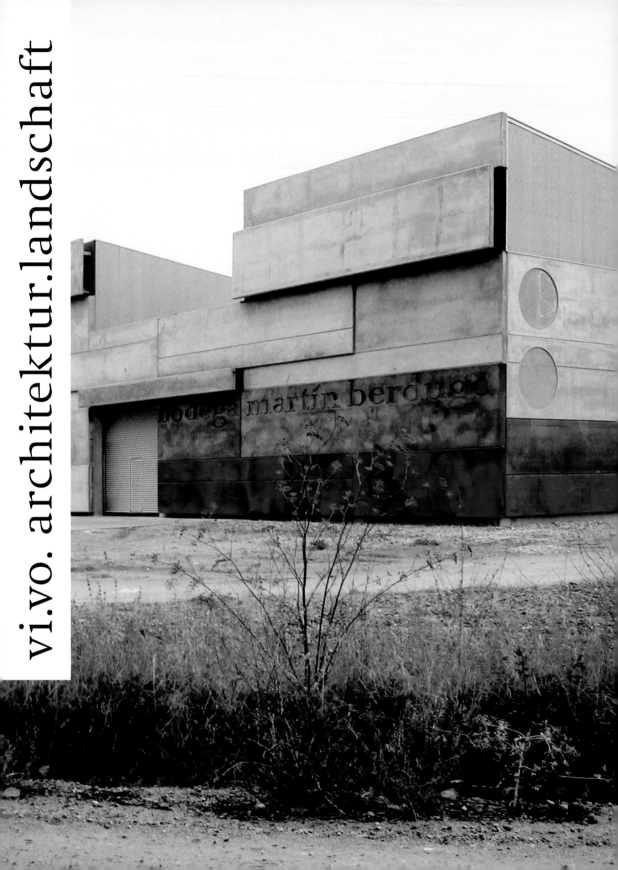

vi.vo. architektur.landschaft

Winery Martin Berdugo

The austere landscape and the rough atmosphere inspired an archaic seeming building in the shape of a concrete square. Nuances in color of the surrounding landscape were the conditions for its flatness and rare tectonics. Concrete was industrially pre-fabricated for the paneling, yet manually mixed so that each individual sheet developed different color transitions. The colors vary from carmine red over violet and light pink to chestnut brown. Climate influences the coloring process, as setting time and mixtures are dependent on external circumstances. Each sheet is thus a completely unique piece.

Weingut Martin Berdugo

Die karge Feldlandschaft und das raue Klima inspirierten zu einem archaisch anmutenden Baukörper in Form eines Betonquaders. Farbnuancen der umgebenden Landschaft waren Vorgabe für die Materialität und ungewöhnlich ausgeprägte Tektonik des Gebäudes. Der Beton wurde für die Paneele industriell vorgefertigt, jedoch manuell gemischt, so dass jede einzelne Platte unterschiedliche Farbverläufe entwickelt hat. Es entstanden Farben von karmesinrot über violett und zartrosa bis hin zu kastanienbraun. Klimatische Faktoren nahmen Einfluß auf den Prozess des Färbens, da Abbindegeschwindigkeit und Durchmischung abhängig sind von den äußeren Umständen. Jede einzelne Tafel ist somit ein Unikat.

Exploitation viticole Martin Berdugo

Le paysage aride et le climat rude ont inspiré cette construction à l'aspect quelque peu archaïque en forme de parallélépipède de béton. La palette de couleurs du paysage qui entoure l'édifice a servi de référence à l'élaboration et la conception chromatique inhabituelle de l'édifice. Le béton servant à la réalisation des panneaux a été fabriqué au préalable de manière industrielle mais mélangé toutefois manuellement de sorte que chaque plaque se compose de diverses nuances de couleurs. La palette varie du rouge carmin au rose clair et au châtaigne en passant par le violet. Les facteurs climatiques ont influencé la coloration car le mélange et la rapidité de prise du béton sont dépendants de paramètres externes à la seule fabrication. De ce fait, chaque plaque est unique.

The concrete seems to be streaky, as if the outer layer had been exposed to weather conditions for a longer period of time.

Der Beton wirkt wie von Schlieren durchzogen, so als wäre die Außenhaut schon seit langer Zeit dem Klima ausgesetzt.

Le dégradé de couleurs produit des effets de stries comme si la surface du béton était depuis longtemps déjà confrontée aux aléas du climat.

Colors were achieved through two differently dosed color pigments, a darker and a more orange red.

Die Farbigkeit wurde durch zwei unterschiedlich dosierte Farbpigmente erzielt, einem dunklem und einem eher orangefarbenen Rot.

La couleur a été fabriquée à l'aide de deux pigments au dosage différent : un sombre et l'autre plutôt rouge-orangé.

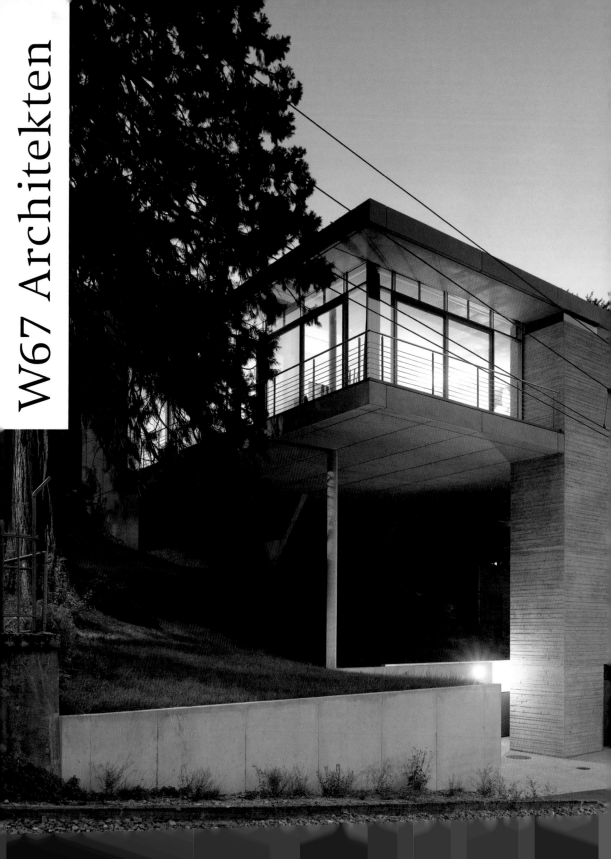

Sedelmeier Story

A steep piece of land located on the exposed part of the north of the slope of the "Alte Weinsteige" in Stuttgart was to be built in such a way that a natural monument—a mammoth tree—was not damaged. The residential building was supposed to be able to be used without losing the magic of the location. From a certain height, sun shines from the west onto the property. Once over 26 feet (8 m) high, the view from the living room is breath-taking. Underneath the one-story building, the existing terrain flows without obstruction of any kind. The root system of the tree was not disturbed in any way. Rainwater collects on the roof and is led back to the soil underneath the building. The mammoth tree thus continues to receive all the groundwater. An elevator goes straight into the living room, while the dining area is placed towards the slope, which is extended through a protruding terrace.

Stockwerk Sedelmeier

Ein steiles Grundstück mit seiner exponierten Lage am Nordhang der Alten Weinsteige in Stuttgart war so zu bebauen, dass das Naturdenkmal – ein Mammutbaum – keinen Schaden nahm. Das Wohnhaus sollte zeitgemäß bewohnbar sein, ohne den Zauber der Lage zu verlieren. Ab einer bestimmten Höhe kommt von Westen Sonne auf das Grundstück. Auf acht Meter Höhe ist der Blick aus dem Wohngeschoss gewaltig, der Blick über Stuttgart ist atemberaubend. Unter dem eingeschossigen Gebäude fließt das bestehende Gelände ungehindert durch. Das Wurzelwerk des Baums wird nicht gestört. Das auf der Dachfläche anfallende Regenwasser wird gesammelt und in einer umgekehrten Drainage unter dem Gebäude in das Erdreich geführt. Somit wird dem Mammutbaum kein Wasser entzogen, sondern ihm ungehindert wieder zurückgeführt. Die Erschließung erfolgt über einen Aufzug direkt in den Wohnraum. Hangseitig befindet sich der Essplatz, welcher in einer vorgelagerten Terrasse seine Erweiterung findet.

Maison Sedelmeier

Un terrain de forte pente situé sur le versant nord d'un quartier de Stuttgart était constructible à la seule condition de préserver le monument naturel qu'il abritait : un arbre gigantesque. La maison devait avoir un caractère contemporain sans toutefois dénaturer la magie du lieu. À partir d'une certaine hauteur, le terrain est exposé à la lumière du soleil venant de l'ouest. La maison située à huit mètres de haut offre un panorama époustouflant sur la ville de Stuttgart. La nature s'étend à loisir sous cette construction composée d'un seul étage. Les racines de l'arbre peuvent se déployer librement sous terre. L'eau de pluie est collectée à partir du toit plat par un système de drainage qui passe sous l'édifice pour aller arroser l'arbre aux dimensions colossales. Il s'agit en effet d'assurer ses besoins en eau, l'arrosage naturel étant amoindri du fait de la construction. L'ascenseur qui assure l'accès à la maison arrive directement dans l'espace d'habitation. La salle à manger est à flanc de coteau et s'ouvre sur une terrasse abritée.

The residential house is inserted into the slope like a monolithic cube. Exposed concrete is the most essential building material, used for walls, ceilings and floors, as well as for the supporting walls and the transitions in foundation and roof borders. Precise insertions made from massive wood give the room tension and authenticity.

Das Wohnhaus fügt sich als ein monolithischer Kubus in die Hanglage ein. Wesentliches Baumaterial ist Sichtbeton, der für Wände, Decken und Böden verwendet wurde, wie auch für Stützmauern und die Übergänge im Sockel- und Dachrandbereich. Exakte Einbauten aus Massivholz geben den Räumen Spannung und Authentizität.

La maison s'encastre dans le terrain en pente tel un cube monolithique. Le béton apparent est le matériau de construction principal de cet ouvrage. On le retrouve dans les murs, les plafonds et les sols ainsi que dans les murs de soutènement et les jonctions au niveau du socle et du toit. Des éléments en bois massif réalisés sur mesure donnent aux pièces une atmosphère authentique.

Silvio Weiland / Dirk Jesse

Textile-concrete bridge

One of the attractions of the Garden and Flower Show in Oschatz (Germany) in 2006 was the Döllnitz bridge. The construction is a research project of the Institute of Massive Construction and Technology of the Technical University in Dresden; it is unique in that the bridge is constructed out of textile concrete. A conventional construction made from reinforced concrete would weigh five times that of textile concrete. Textile concrete is a composite in which textile reinforcement from glass and carbon fibers are used instead of steel. Whereas steel insertions require concrete protection to prevent corrosion, this particular type of concrete does not, which results in a significant reduction of weight. In addition, the solidity of glass and carbon fibers is four times greater than that of construction steel. Unsurpassed slender concrete constructions are the result.

Textilbewehrte Brücke

Eine der Attraktionen der Landesgartenschau Oschatz 2006 war die Döllnitzbrücke. Das Bauwerk ist ein Forschungsprojekt des Instituts für Massivbau an der TU Dresden, das Besondere darin ist, dass die Brücke aus Textilbeton gefertigt ist. Im Gegensatz dazu wäre eine konventionelle Konstruktion aus Stahlbeton fünfmal schwerer. Textilbewehrter Beton ist ein Verbundwerkstoff, bei dem statt Stahl textile Bewehrungen aus Glas- und Carbonfasern zum Einsatz kommen. Damit entfällt das Problem der bei Stahleinlagen notwendigen Betondeckung für den Korrosionsschutz, was eine Reduzierung des Gewichtes zur Folge hat. Zudem ist die Festigkeit von Glas- und Carbonfasern viermal größer als bei Baustahl. Das Resultat sind bislang unerreicht schlanke Konstruktionen aus Beton.

Pont à armatures textiles

L'une des attractions de l'exposition horticole de Saxe 2006 à Oschatz fut sans conteste le pont de Döllnitz. Cet ouvrage a été réalisé dans le cadre d'un projet de recherche de l'Institut de constructions massives de l'université technique de Dresde. L'utilisation d'un béton à armatures textiles fait la singularité de ce pont. Une construction conventionnelle en béton armé est à titre d'exemple cinq fois plus lourde. Le béton à armatures textiles est un matériau composite dont les armatures ne sont pas en acier mais textiles, à fibres de verre ou de carbone. Les couches protectrices sont alors superflues car les fibres ne se corrodent pas, ce qui permet des constructions plus légères. Par ailleurs, la résistance et la fermeté des fibres de verre et de carbone est quatre fois plus importante que celle de l'acier de construction avec pour résultat des constructions de béton dont la finesse reste jusqu'à présent inégalée.

The bridge is 29.5 feet (9 m) long and 8.2 feet (2.5 m) wide and can withstand a weight of 35 tons. The bridge comprises ten elements, which are each 35.5 inches (90 cm) long. These segments were pre-cast in the concrete plant and prestressed with six steel ropes.

Die Brücke ist 9 m lang und 2,5 m breit und hält einem Gewicht von 38 Tonnen stand. Die Brücke besteht aus 10 Elementen, die jeweils 90 cm lang sind. Diese Segmente wurden im Betonwerk vorgefertigt und mit sechs Stahlseilen vorgespannt.

Le pont a une longueur de 9 m et une largeur de 2,5 m pour un poids de 38 tonnes. Il se compose de 10 éléments, chacun mesurant 90 cm de long. Ces éléments ont été fabriqués au préalable et précontraints à l'aide de 6 câbles en acier.

Peter Welz

Fake concrete walls

Peter Weiz and the choreographer William Forsythe, the renowned long-standing ballet director of the Staatstheater at Frankfurt am Main, created many significant video works, which are shown, among others, in the Museum of Contemporary Art in Turin, the Museum of Modern Art in Frankfurt am Main and the Falckenberg Collection in Hamburg. The Collage of fake concrete walls is based on Forsythe's drawings, which, in turn, represent the movement of his right hand. A collage of fake concrete walls defines the transition of movement in architecture. The sequence of movement is thus projected on the architectonic structure.

Fake concrete walls

Aus der Zusammenarbeit zwischen Peter Welz und dem Choreographen William Forsythe, dem langjährigen Leiter des Balletts am Staatstheater in Frankfurt am Main, entstanden mehrere bedeutende Videoarbeiten, die u. a. im Museum für zeitgenössische Kunst in Turin, dem Museum für moderne Kunst in Frankfurt am Main und der Sammlung Falckenberg in Hamburg zu sehen sind. Bei „collage of fake concrete walls" wird in Anlehnung an Zeichnungen Forsythes, die Bewegung seiner rechten Hand nachgezeichnet. Eine Collage von nachgemachten Betonwänden definiert den Übergang von Bewegung in Architektur. Damit wird die Bewegungsabfolge auf die architektonische Struktur projiziert.

Fake concrete walls

Plusieurs installations vidéo d'importance ont vu le jour dans le cadre de la collaboration entre Peter Welz et le chorégraphe William Forsythe qui a longtemps dirigé le ballet de Francfort. Elles peuvent être notamment admirées au Musée d'art contemporain de Turin, au Musée d'art moderne de Francfort et au sein de la collection Falckenberg à Hambourg. L'œuvre *Collage of fake concrete walls* s'appuie sur des dessins de Forsythe et montre le mouvement de la main droite de ce dernier. Un collage fait de « faux » murs de béton définit le passage du mouvement dans l'architecture. La suite de mouvements est ainsi projetée sur la structure architectonique.

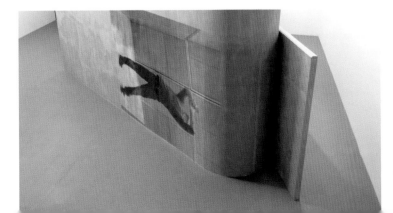

Peter Welz, born in 1972, is one of the greatest young talents in the German art scene. He lives and works in Berlin. He studied art, among other things, at the National College of Art and Design in Dublin as well as at the Chelsea School of Art in London. His studies of the human figure in space were greatly influenced by the works of Samuel Beckett.

Peter Welz, 1972 geboren, zählt heute zu den großen jungen Talenten in der deutschen Kunstszene. Welz lebt und arbeitet in Berlin. Er studierte Kunst u. a. am National College of Art and Design in Dublin sowie an der Chelsea School of Art in London. Maßgeblich geprägt wurden seine Studien der menschlichen Figur im Raum von der Auseinandersetzung mit dem Werk Samuel Becketts.

Peter Welz, né en 1972, compte parmi les jeunes talents allemands dont on parle. Il vit et travaille à Berlin. Il a étudié l'art au National College of Art and Design de Dublin et à la Chelsea School de Londres pour ne citer que ces deux écoles. Son étude de la figure humaine dans l'espace a été très influencée par l'œuvre de Samuel Beckett.

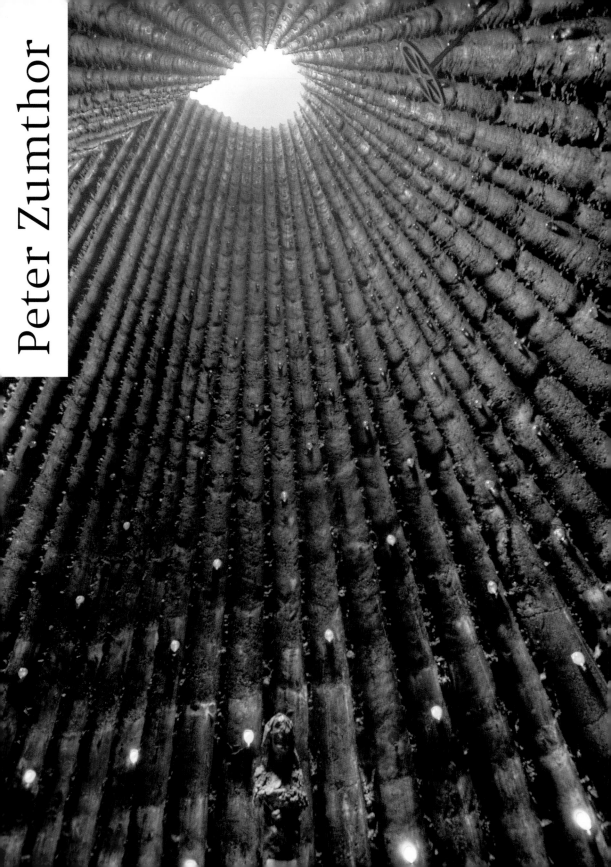

Peter Zumthor

Brother Claus Field Chapel

Only once inside does the visitor realize that this strangely shaped concrete tower, which is 39 feet (12 m) high, is a religious institution. The small cross above the triangular entry is the sole indicator of the religious importance of this building from the outside. In the initial building phase, one hundred and twelve tree logs were felled for inner structure of the chapel. These were assembled to create a tent-like space covered in many layers of concrete. The concrete comprised reddish-yellow sand, river sediment and gravel and cement. Once the tower was finished, the tree logs were burned in over charcoal coals for three weeks. The scorched odor of this place of worship will be noticeable for quite some time and is intentional: all four elements (fire, water, earth and air) are herewith united.

Bruder Klaus Feldkapelle

Erst im Inneren wird dem Besucher klar, dass es sich bei diesem eigentümlich geformten Betonturm von 12 Metern Höhe um ein geweihtes Gotteshaus handelt. Allenfalls das kleine Kreuz über der dreieckigen Eingangstür weist von außen auf die sakrale Bedeutung des Gebäudes hin. Zu Beginn der Bauphase wurden 112 Baumstämme für das Innengerüst der Kapelle geschlagen. Diese wurden zu einem zeltartigen Raum zusammengefügt und in vielen Schichten mit Beton aus einer Mischung aus rötlich-gelbem Sand, Flusskies und Zement verkleidet. Als der Turm fertig war, wurden die Baumstämme durch ein drei Wochen brennendes Feuer geköhlert. Der brenzlige Geruch wird noch lange in der Andachtsstätte wahrnehmbar sein und ist Programm: Alle vier Elemente (Feuer, Wasser, Erde, Luft) sollen hier vereint werden.

Chapelle rurale du Frère Klaus

C'est seulement une fois à l'intérieur que le visiteur prend conscience du caractère sacré de cette tour de béton haute de 12 mètres. Tout au plus la petite croix qui surplombe la porte d'entrée en forme de triangle signale la fonction de l'édifice. On a commencé par abattre 112 troncs d'arbres afin de réaliser l'ossature interne de la chapelle. Ces éléments ont été assemblés de manière à former une tente et ont été recouverts de nombreuses couches de béton résultant d'un mélange de sable rouge-jaune, de graviers de rivière et de ciment. Une fois la tour achevée, les troncs d'arbre ont été pendant trois semaines soumis à une carbonisation. L'odeur du feu est très présente au sein de ce lieu de recueillement, à dessein : la chapelle réunit les quatre éléments (le feu, l'eau, l'air, la terre).

Peter Zumthor develops the body of his buildings, which often leads to unexpected solutions and spatial experiences. In this case, due to its strong expressive statement, the Chapel of St. Niklaus von Flüe becomes art, and an architectonic haven.

Peter Zumthor entwickelt seine Gebäude körperhaft, was oft zu ungewöhnlichen Lösungen und Raumerfahrungen führt. Bei der Bruder Klaus Feldkapelle wird das Gebäude mit seiner starken Aussagekraft zu Kunst – und zu einem architektonischen Kleinod.

Peter Zumthor conçoit ses ouvrages à la manière de corps, ce qui conduit à des solutions et des expérimentations spatiales peu conventionnelles. Dans le cadre de la chapelle rurale du Frère Klaus, l'ouvrage s'élève par la force esthétique qu'il dégage au niveau de l'art et devient joyau architectonique.

Verzeichnis | Index

Directory

Airspeed Skateparks
Portland, USA
www.airspeedskateparks.com
Photos courtesy of Airspeed Skateparks

Ruben Anderegg Architekten
Meiringen, Switzerland
www.rubenanderegg.ch
Photos: Christine Hämmerli

Architekten Kollektiv AG
Kisdaroczi Jedele Schmid Wehrli
Winterthur, Switzerland
www.architektenkollektiv.ch
Text am Bau: Klaus Merz, Unterkulm
Photo courtesy of
Architekten Kollektiv AG

Michele Arnaboldi Architetto
Lucarno, Switzerland
www.arnaboldi-arch.com
Photos: Nicola Roman Walbeck

barbaslopes arquitectos
Lisbon, Portugal
www.barbaslopes.com
Photos courtesy of
barbaslopes arquitectos

BETONIU
Leipzig, Germany
www.betoniu.de
Photos courtesy of Betoniu

Silvia Boday
Innsbruck, Austria
Photos: Lukas Schaller

Pietro Boschetti Architetto
Lugano, Switzerland
www.pietroboschetti.ch
Photos: Franco Poretti

Simon Busse
Stuttgart, Germany
www.simon-busse.com
Photos: Simon Busse

Buzzi e Buzzi
Locarno, Switzerland
Photos: Margherita Spiluttini

Santiago Calatrava
Zurich, Switzerland
www.calatrava.com
Photos: Klaus Mellenthin

David Chipperfield Architects
London, United Kingdom
www.davidchipperfield.co.uk
Photos: Christian Richters

Concreto
Vienna, Austria
www.concreto.at
Photos courtesy of concreto

d.n.a architects Trint + Kreuder
Cologne, Germany
www.dna-ex.com
Photos: Christian Richters

Denzer & Poensgen Architekten
Cologne, Germany
www.denzer-poensgen.de
Photos courtesy of
Denzer & Poensgen Architekten

Patrick Devanthéry &
Inès Lamunière
Geneve, Switzerland
Photos: Fausto Pluchinotta

Diener & Diener
Basel, Switzerland
www.dienerdiener.ch
Photos: Roland Halbe

d:meise design
Vienna, Austria
www.dmeise.com
Photos courtesy of d:meise design

e2a eckert eckert architekten
Zurich, Switzerland
www.e2a.ch
Photos courtesy of
e2a eckert eckert architekten

Peter Eisenman
New York, USA
www.eisenmanarchitects.com
Photos: Archiv

e-studio
Lisbon, Portugal
www.extrastudio.pt
Photos: Jose Pedro Tomaz

Form in Funktion
Esslingen, Germany
www.forminfunktion.de
Photos courtesy of Form in Funktion

Foster and Partners
London, United Kingdom
www.fosterandpartners.com
Photos: photocase

Gramazio & Kohler Architektur
Zurich, Switzerland
www.gramaziokohler.com
Photos: Gramazio & Kohler Architektur

Halle 58 Architekten
Bern, Switzerland
www.halle58.ch
Photos: Guy Jost

Holzmanufaktur
Stuttgart, Germany
www.holzmanufaktur.com
Photos courtesy of Holzmanufaktur

Donald Judd
Marfa, USA
www.juddfoundation.org
Photos: photocase

Ken Architekten
Baden, Switzerland
www.ken-architekten.ch
Photos: Hannes Henz

Kochi Architect's Studio
Tokyo, Japan
www.kkas.net
Photos courtesy of
Kochi Architect's Studio

Krüger Wiewiorra Architekten
Berlin, Germany
www.kwarchitekten.de
Photos courtesy of
Krüger Wiewiorra Architekten

kunze seeholzer architektur
Munich, Germany
www.kunze-seeholzer.de
Photos: Jann Averwerser

LEICHT AG
Waldstetten, Germany
www.leicht.de
Photos: Angelika Lorenzen

LiTraCon
Csongrád, Hungary
www.litracon.hu
Photos courtesy of LiTraCon

MADA s.p.a.m.
Shanghai, China
www.madaspam.com
Photos: Jin Zhan

Ingo Maurer
Munich, Germany
www.ingo-maurer.com
Photos: Betonwerk Godelmann KG

meck architekten
Munich, Germany
www.meck-architekten.de
Photos: Michael Heinrich

memux (mennel/muxel)
Vienna, Austria
www.memux.com
Photos: Roswitha Natter

Kazuya Morita Architecture
Kyoto, Japan
www.morita-arch.com
Photos: Ichiro Sugioka

muf architecture/art
London, United Kingdom
www.muf.co.uk
Photos: Jason Lowe

NIO Architecten
Rotterdam, The Netherlands
www.nio.nl
Photos courtesy of NIO Architecten

RaiserLopesDesigners
Stuttgart, Germany
www.raiserlopes.com
Photos courtesy of
RaiserLopesDesigners

realarchitektur
Berlin, Germany
www.realarchitektur.de
Photos: Hanns Joosten

Rieder – Smart Elements
Kolbermoor, Germany
www.rieder.cc
Photos courtesy of
Rieder – Smart Elements

laurent savioz architecte
Sion, Switzerland
www.loar.ch
Photos: Thomas Jantscher

Schultes Frank Architekten
Berlin, Germany
www.schultes-architekten.de
Photos: Werner Huthmacher, Archiv

Shapers
Mönchengladbach, Germany
www.shapers-kg.de
Photos: 3deluxe

smarch Architekten
Bern, Switzerland
www.smarch.ch
Photos: thomasmayerarchive

Luigi Snozzi
Locarno, Switzerland
Photos: Giacomo Guidotti

Southcorner
Agropoli, Italy
www.southcorner.it
Photos: Antonio Elia Sica, Luigi Vergone

Andreas Strauss
Ottensheim, Austria
Photos: Dietmar Tollerian

subarquitectura
Alicante, Spain
www.subarquitectura.com
Photos courtesy of subarquitectura

the next ENTERprise
Graz, Austria
www.thenextenterprise.at
Photos: Lukas Schaller

THINK CONCRETE
Berlin, Germany
www.think-concrete.de
Photos: Oliver Döring

UNStudio van Berkel & Bos
Amsterdam, The Netherlands
www.unstudio.com
Photos courtesy of UNStudio

Villa Rocca
Freiburg, Germany
www.villarocca.de
Photos: 3deluxe

vi.vo. architektur.landschaft gmbh
Zurich, Switzerland
www.vi-vo.ch
Photos courtesy of
vi.vo. architektur.landschaft

W67 Architekten
Stuttgart, Germany
www.w67-architekten.de
Photos: Zooey Braun

Silvio Weiland / Dirk Jesse
Dresden, Germany
Photos: Betonwerk Oschatz

Peter Welz
Berlin, Germany
www.peterwelz.com
Photos: Peter Welz

Peter Zumthor
Chur, Switzerland
Photos: thomasmayerarchive

© 2008 Tandem Verlag GmbH
h.f.ullmann is an imprint of
Tandem Verlag GmbH

Editor:
Joachim Fischer
Editorial coordination:
Sabine Marinescu
Layout:
designdealer / büro für gestaltung
Imaging:
Stefan Eisele
Produced by Klett Fischer
architecture + design publishing
www.klett-fischer.com

*Project coordination
for h.f.ullmann:*
Dania D'Eramo

Translation into English:
Margaret Buchanan
Translation into French:
Marie Piontek

Printed in China

ISBN: 978-3-8331-4745-6

10 9 8 7 6 5 4 3 2 1
X IX VIII VII VI V IV III II I

www.ullmann-publishing.com